HOLLYWOOD BABILONIA II

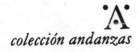

colección andanzas

KENNETH ANGER
HOLLYWOOD BABILONIA II

TUSQUETS EDITORES

Título original: *Hollywood Babylon II*

1.ª edición: abril 1986
2.ª edición: septiembre 1986
3.ª edición: octubre 1987

Traducción de Marcelo Cohen
Diseño de la colección: Guillemot-Navares
Diseño de la cubierta: M.B.M.
Reservados todos los derechos de esta edición para
Tusquets Editores, S.A. - Iradier, 24 - 08017 Barcelona
ISBN 84-7223-230-1
Depósito legal: B. 37.991-1987
Fotocomposición Citex - Clos de Sant Francesc, 3-5
Diagràfic, S.A. - Constitución, 19 - 08014 Barcelona
Impreso en España

«Cada hombre y cada mujer es una estrella.»
ALEISTER CROWLEY

«Todos poseemos la fortaleza necesaria para
soportar las desgracias de los demás.»

LA ROCHEFOUCAULD

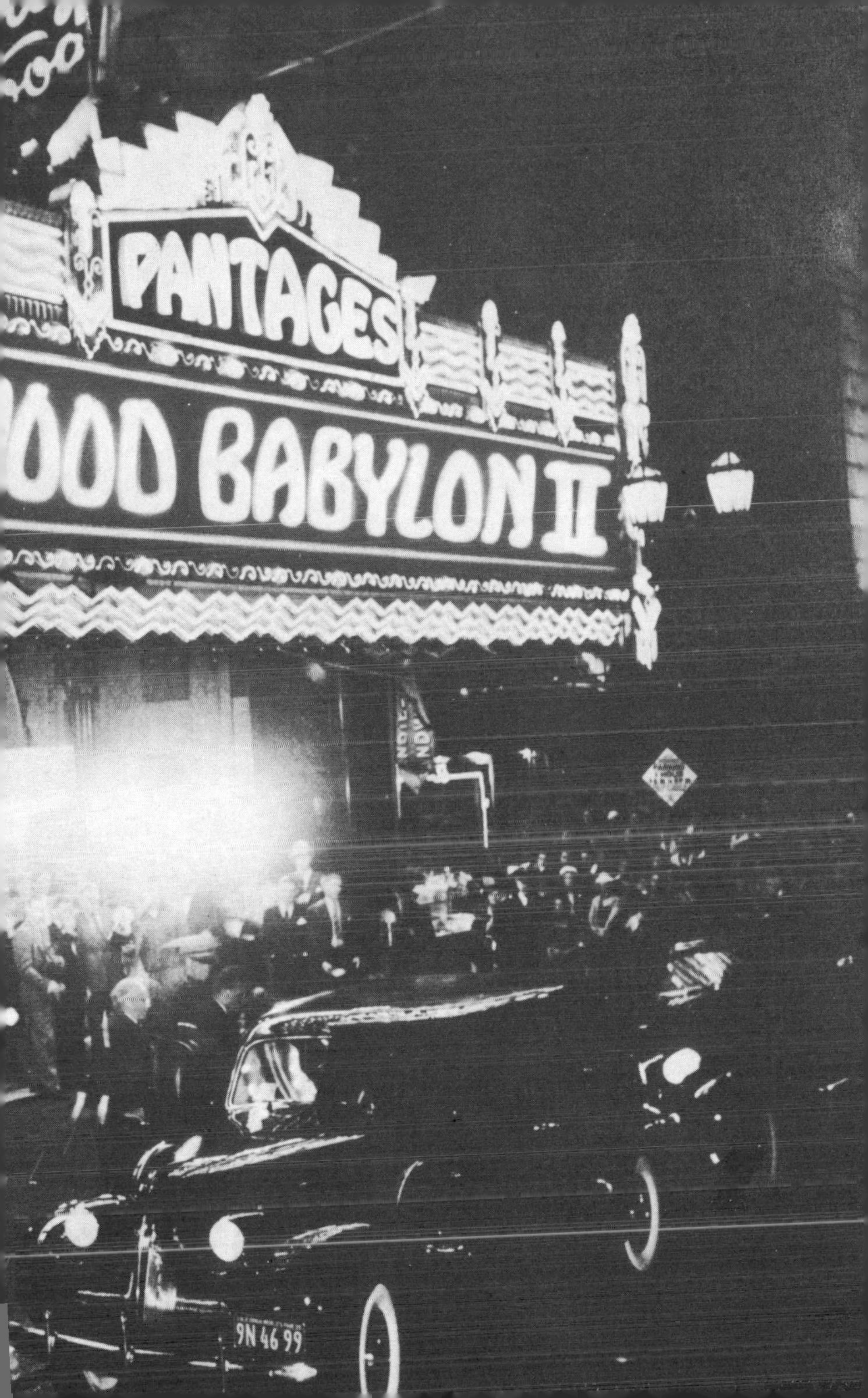
PANTAGES
OOD BABYLON II
9N 46 99

Para
J. Paul
Getty, Jr.

Indice

ODA A HOLLYWOOD

Ciudad de vanos esfuerzos
donde el cerebro se atrofia:
¡canto a tus Caras Idiotas
y a tus mancomunados Clichés
que dora un Sol de necedad!

No hay leche en tus grandes ubres
ni semen en tus cojones;
tus Dioses embaucadores
persiguen la Felicidad
con pollas duras de Orín.

Preñada de falsedades,
cada estación pasa fútil;
y al final uno descubre
que tus fantásticas Rosas
son pánfilas del montón.

Extraños Cultos y Coños;
Ninfa Reseca, Venus de la Aridez.
El día en que reviente el condón,
del pene del sátiro lloverá
talco enmohecido y polvos de los de arroz.

¡Difuso campea el desierto
en la tierra de la Mente nula!
Desde el cielo, demonios vigilantes
decretan pena de muerte
para el que atine a Pensar.

Tus pasiones son fingidas;
el lucro, impulso de tu ardor.
Pero si un día la lujuria estéril
te diera nueva energía,
hazte dar por el culo, es mi consejo,
¡y no nos amargues más!

DON MARQUIS

Paseo por el Barrio de la Muerte

Lo confieso: al haber nacido en Tinseltown, mi hobby de pequeño consistió en visitar cementerios en busca de los lugares de reposo de mis héroes, aquéllos que en los años veinte habían sido fabulosos rostros de Hollywood y luego habían «pasado a mejor vida». La costumbre de emplear tan discreto eufemismo provenía de mi abuela, y yo no tenía a mano ninguno mejor. Como la abuela, durante mucho tiempo me negué a creer en la muerte. Lo que existía era apenas una transición, un efecto especial en fundido, y yo estaba *realmente convencido* de que, cuando más adelante me llegara el momento, podría por fin conocer a Mabel Normand, Barbara La Marr y Rodolfo Valentino. A mí no me verían asaltarlos con la libreta de autógrafos en la mano. ¡No, señor! Eso era para la

Mabel Normand: sombra y sustancia
← *Kenneth Anger en* Sueño de una noche de verano

chusma de Venice y Redondo High. Yo estaba firmemente decidido a acercarme a mis ídolos —Mabel, Barbara y Rudy— en pie de igualdad. ¡Al fin y al cabo también había actuado en una película! Si no como estrella principal —distinción que resigné a favor de Mickey Rooney (Puck Forever)—, al menos como pequeño y honrado figurante. Y estaba orgulloso de mi interpretación del Príncipe Traicionado en *Sueño de una noche de verano*.

Cuando al fin encontré la tumba de Valentino, se reveló decepcionante. No tenía nada

Barbara La Marr: llamando desde el Más Allá

Rodolfo Valentino →

de especial; en absoluto se parecía al pastel de bodas de mármol que Pola Negri había prometido erigir en una entrevista concedida a «Photoplay». Apenas un nicho en el muro, con dos floreros dignos de una limusina anticuada, y el nombre completo de Rudy grabado en bronce. Sin embargo, yo volvía a aquel lugar una y otra vez. Eran visitas fascinantes; no se veía a nadie más. Tenía a Rudy para mí solo.

Confieso que soy un solitario. Creo que la soledad empezó a gustarme en aquel cementerio llano de Hollywood. Había paz, serenidad.

Eso me gustaba. Tan intenso era el silencio que podía oírse el arrullo de las palomas, sus balsámicas endechas interrumpidas de vez en cuando por el canto del sinsonte. Tan intenso era que se percibía el rumor distante de la cortadora de césped que manejaba algún siervo mexicano entre las tumbas de aquella tierra llana. Tan intenso era que el día en que, en la cercana Paramount, un bocinazo anunció el comienzo de una grabación, tuve un sobresalto: alguna estrella se aprestaba a volcar su parte del diálogo en un micrófono. (Cuando se grababa el sonido dentro de los grandes

← El enigma de Valentino

Condones «Jeque» en honor a la fama de «Gran Amante» de Valentino

platós vacíos, se limitaban a encender en la puerta unas lamparillas rojas —«luces de burdel», las llamaban. Entonces no se molestaban en tocar la bocina.)

El preventivo bocinazo del sonidista interrumpía inapelablemente mis ensueños valentinianos; mis meditaciones se volvían abruptamente hacia el estudio próximo, donde Von Sternberg, amaestrador de gatos austríaco, ponía a prueba a Marlene Dietrich. *¡La Dietrich en la casa de al lado!* Tal vez estuvieran rodando la toma catorce de *Capricho español*, el drama más encantador que S y M sacaran nunca de las fábricas de Tinseltown. (Adolph «Jesús el Susurrante» Zuckor se empeñó en volver a titularlo *El diablo es mujer*. Rindiéndose ante Franco —otro autoritario—, quien consideraba el film un insulto al honorable cuerpo militar fas-

Funeral de Thelma Todd

cista de España, Zuckor suspendió la distribución.)

¿Pensé alguna vez seriamente en hacer carrera en Hollywood? Por supuesto, siempre y cuando hubiese podido tener, como Charlie Chaplin, un estudio propio. Pero sabía de sobra que jamás lograría tenerlo; en ese punto no había que hacerse ilusiones. Mis ideas y las de los ejecutivos — los Mayer, Balaban, Warner o Cohn— no se hubieran llevado bien.

Cuando me gradué en Beverly High, en lugar de llamar a las puertas de las oficinas de empleo de «La Industria» — apodo nauseabundo y petulante que emplean en Tinseltown—, robé los cubiertos y el juego de té de mi familia (todo de plata fina), los vendí y compré un billete de tren y otro para el «De Grasse», orgullo de las célebres líneas marítimas francesas, y me largué a París. Allí encontré a otro dictador, no de despachos y escenarios, sino de algo aún más fabuloso: Henri Langlois, Gran Pachá y Sultán de la Cinemateca Francesa. Para ese espantoso tirano trabajé durante diez años; pero debo confesar que acepté la esclavitud porque Henri amaba el cine más de lo que yo nunca llegué a amarlo; mucho más. Déjenme aclararles con todo que, a mi manera, *adoro* el cine, aunque creo que nos decepciona al prometer una inmortalidad que en realidad no proporciona (¿me oyes, Bernhardt?); las películas acaban por ser dobladas, rebobinadas y mutiladas, y les salen surcos que parecen arrugas. Como ocurre con las personas, sus vívidos colores se destiñen. Y como ocurre con los amantes y con la gente en general, muchas de ellas estallan en llamas y desaparecen sin dejar rastros.

¿Qué me queda por contar que no haya contado en *Hollywood Babilonia I*? Algunos bocados y trapos sucios más o, si quieren, más historia oculta del cine. Damas y caballeros, permítanme llevarles a dar otro paseo por el Barrio de la Muerte. Pueden llamarlo Paseo de la Fama, o bien Paseo de la Infamia, expresión ésta empleada por Jane Withers cuando Hugh Hefner se compró *su* estrella en la acera resbaladiza.

Y no olviden ponerle al asunto cierta dosis de Humor Negro. Si quieren, pueden hacer el trayecto de la mano de su Ilustre predilecto. No me importa.

Prometo llevarles de vuelta a su hotel. Al amanecer.

KENNETH ANGER

Kenneth Anger y Samson De Brier ante la Tumba de la Starlet Desconocida →

Tomándole el pelo a Gloria

¡DING, DONG, HA MUERTO LA BRUJA!

Si alguna vez hubo una bruja en Tinseltown —una bruja *hechicera*, no una que se las da de bruja como Margaret Hamilton, la Buena Chica de Gramercy Park—, una bruja real, genuina, experta en magia negra, no fuera otra que la *difunta* Gloria Swanson, flor de los corrales de Chicago.

¡DING, DONG, HA MUERTO LA BRUJA!

Y ni su doncella, ni su secretaria, ni su exhausto sexto marido pueden devolverle la vida.

Gloria se ha ido.

Sic transit gloria mundi!

La abeja reina

← *Gloria Swanson patas arriba*

Kelly el asesino

¡Paf! Aquella noche de primavera, en un apartamento de Hollywood, tenía lugar un combate entre el Escenario y la Pantalla, y el Escenario estaba en el suelo. La Pantalla había bebido unas copas de más y en un frenético acceso arrastró al Escenario por la alfombra, derrumbando al pasar una mesa española estilo Restauración. Acto seguido procedió a estampar la cabeza del Escenario contra la pared. Era el 16 de abril de 1927. En el rincón de la Pantalla: Paul Kelly, veintiséis años, 72 kg de peso, algo más de 1,80 m de altura, delgado pero de contextura atlética, astro de cine pelirrojo de ardorosa sangre irlando-americana criado en las calles de Brooklyn. Su padre había sido propietario de una taberna llamada Kelly's Kafe, no muy lejos del estudio de la Vitagraph. Los trabajadores del estudio, que solían dejarse caer por la taberna de Kelly a

beber una copa, pronto adquirieron el hábito de pedir a la esposa del tabernero que les prestara muebles para los platós. Cierto día de 1907, a modo de recompensa por los favores dispensados, Mrs. Kelly se empeñó en que le dieran a su hijo un empleo como actor por 5 dólares al día. Se lo dieron y así empezó una brillante carrera. El precoz Kelly trabajó en varias películas de la Vitagraph, una de ellas adecuadamente titulada *Nacido para luchar.* Joven aún, se hizo amigo de las estrellas más cotizadas del estudio —John Bunny y Flora Finch— y muy pronto se marchó a Broadway, donde compartió el cartel con Helen Hayes en *Penrod,* de Booth Tarkington. En 1926 Hollywood volvió a tentarlo. Su film más importante hasta entonces (*Slide, Kelly, slide,* en el que aparecía junto al joven y popular galán «perfumado» William Haines) se había en-

trenado apenas tres semanas antes de la mortal pelea. El estreno del siguiente film, *Entrega especial*, con Eddie Cantor y William Powell, estaba previsto para la semana que siguió a la tormentosa velada, pero el prometedor irlandés no podría asistir al estreno. Por entonces, tanto su vida como su carrera habían sufrido complicaciones debido a un simple caso de homicidio.

El rincón del Escenario lo ocupaba esa fatídica noche Ray Raymond, delgado como un alambre, cantante y bailarín de treinta y tres años, con 62 kg y 1,66 m de estatura, quien, tras haber participado en la revista The Ziegfeld Fo-

llies en 1918 y 1919, al año siguiente alcanzó la fama en un espectáculo de Broadway titulado *Blue eyes*. Ray supo lo que era un flechazo cuando conoció a una pelirroja pizpireta de diecisiete años que trabajaba en la compañía. La muchacha se llamaba Dorothy Mackaye. Se casaron.

Dorothy había nacido en Escocia. A la tierna edad de cuatro años había recorrido las islas británicas haciendo de bailarina. Más tarde le daría por el drama, cosechando buenas críticas por su trabajo en una versión de *Peggy de mi corazón*, que estuvo dos años en cartel. Pero la chica cargaba con la maldición de un ligero ceceo, y la conciencia de ese defecto la impulsó a decidir que su carrera dramática tal vez no llegara muy lejos. La pequeña Dottie decidió pues concentrarse en sus papeles musicales y burlescos, en los que con su ceceo podría obtener efectos cómicos. Y obtuvo un éxito rotundo en *Head over heels* y otro más en el papel de Lady Jane en *Rose Marie*, de Oscar Hammerstein.

Los Raymond acababan de llegar a Hollywood. No faltaba mucho para que el cine sonoro estuviese a punto: en pocos meses más *El cantor de jazz* dejaría al mundo boquia-

La víctima: Ray Raymond

40

bierto. No se hablaba de otra cosa que del Sonoro. Los musicales Raymond llegaron a Tinseltown atraídos por la perspectiva de una carrera cinematográfica «audible». La Vitaphone produjo un corto en base a uno de sus números de vodevil y poco después se dieron a conocer como una de las parejas más alegres y bebedoras de la ciudad.

Los puñetazos en el apartamento de Ray se cruzaron por culpa de los afectos de Mrs. Raymond. El clásico triángulo. Kelly era buen amigo de Ray, pero mejor amigo aún de Dorothy. La ciudad no dejaba de chismorrear en torno al coqueteo del apuesto Kelly, el de los labios finos, con la diminuta y explosiva Mrs. Raymond. Kelly sabía que Ray se quejaba a sus amigos de «ese irlandés hijo de puta que quiere quitarme la mujer». La noche de la pelea —con un cuarto de botella de whisky ya entre pecho y espalda—, Kelly llamó por teléfono a Ray, quien acababa de regresar de una cita en San Francisco. Mantuvieron una discusión telefónica a grito pelado —también Ray estaba entonado—, y Raymond desafió a Kelly a, si era hombre, presentarse en su casa.

Para cuando llegó, Kelly estaba a un pelo de caerse en redondo. Tengamos presente que esto ocurría en el Hollywood de los «locos años veinte» —por cierto, así se tituló una de las últimas películas de Kelly—, cuando el gin no venía en botellas, sino en bañeras. A Paul y a Dottie les encantaba ir de juerga por ahí con sus amigos del cine. Había fiestas en el apartamento de Paul, en la casa de los Raymond, en la de Lila Lee, en la de John Bowers y en la del director Lewis Milestone y la actriz Nancy Carroll, auténticos bastidores del gin donde todos se reunían en la cocina con las persianas bajadas, y mezclaban aquella bazofia con cualquier cosa que camu-

El casus belli: *Dorothy MacKaye*

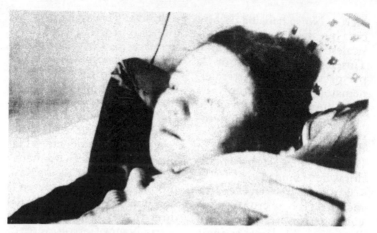

flara su desagradable sabor.

De haber estado presente Dottie, quizás hubiera podido separar a los dos desbocados potrillos. Pero en vano se habría seguido aquí el consejo de *cherchez la femme*: en su declaración, Dottie diría que en ese momento estaba en el centro, «comprando huevos de Pascua».

Pero *sí* hubo, no obstante, tres testigos del mortal enfrentamiento, y la verdad es que constituían un trío más bien raro: Ethel Lee, la despavorida criada negra cuya preocupación esencial consistió en «salvar los muebles»; Valerie Raymond (lanzada más tarde, como Mimi Kelly, tuvo una fugaz carrera en los musicales de Broadway durante los años cincuenta), con tan sólo cuatro años de edad;

y Spot, el perro de Dottie, que sumó sus ladridos a la confusión general. (Incluso en el Hollywood de los años veinte, cuando los miembros del gremio de los alegres juerguistas teñían a sus mascotas de púrpura, Spot tenía la virtud de acaparar todas las miradas: el heroico fox-terrier ostentaba una pata delantera de palo: había perdido la original a causa de un mordisco por defender a la sobrina de Dottie del ataque de un pastor alemán.)

Ante un público integrado por criada, niña y chucho, Ray se empeñó en arremeter una y otra vez en busca de su castigo. Con una mano Kelly lo agarró del pescuezo y con la otra, cerrada, lo golpeó varias veces en la cara. Cuando Kelly hubo estampado varias

Tras el interrogatorio, Dorothy se recupera de su colapso

42

veces contra la pared la cabeza del cantante bailarín, éste ya no vio sino estrellas. Cumplida su misión —o lo que él creía que era su misión—, Kelly volvió tambaleándose a su casa.

Cargada de huevos de Pascua, Dorothy llegó poco después para encontrar el apartamento hecho una ruina. Ayudó a su marido a ponerse en pie y lo empujó hasta el dormitorio. Lo depositó en la cama totalmente vestido, hizo un chiste a la criada acerca de la pelea y después se retiró.

A la mañana siguiente, Dottie y Ethel Lee encontraron a Ray inconsciente. Dos días más tarde murió.

Dottie llamó a un médico amigo suyo —Walter Sullivan—, quien sabía tan bien como ella que, si llegaban a correr rumores sobre la pelea, la carrera de los dos supervivientes podía darse por terminada. El doctor Sullivan declaró que la muerte de Ray se había debido a complicaciones provenientes de antiguas enfermedades. No obstante, sometida a intenso interrogatorio policial, Ethel Lee no consiguió fingir por mucho tiempo: tiró la toalla y describió la trifulca, insistiendo en la saña con que Kelly había pateado a Ray cuando éste estaba caído y cómo le había golpeado la cabeza contra la pared.

El actor fue detenido. En su declaración ante el capitán de policía Slaughter [no está de más destacar que *slaughter* significa «matanza» o «carnicería». (N. del T.)], confesaría que amaba a Mrs. Raymond, pero que ese amor nunca había sido correspondido. Lo acusaron de homicidio. Dottie y el doctor Sullivan, por su parte, fueron procesados bajo cargo de felonía por haber intentado ocultar las circunstancias de la muerte de Raymond. (Más tarde la acusación contra Sullivan sería retirada.)

El juicio de Paul Kelly fue un melodrama lacrimógeno representado a sala llena. El fiscal aportó docenas de cartas

Paul Kelly: labios hinchados a puñetazos

dirigidas a Dottie. De modo harto irónico, la criada las había encontrado ocultas bajo el colchón conyugal. En una de ellas se decía: «Estoy loco, loquito por ti» y hasta había algún juego de palabras infantil. Estas cartas se leyeron ante el tribunal mientras a Paul se le cambiaba la cara de color y el sudor le perlaba la frente. Para las «lloronas» de la prensa amarilla esta historia fue un festín. Un titular de primera plana del «Herald Examiner» lamentó que Paul no hubiese tenido el buen gusto de decirlo con flores en lugar de hacerlo con juegos de palabras infantiles. (Esta fue la primera irrupción de esta jerga para tontitos en la conciencia de Tinseltown; seis años más tarde la moda alcanzaría su apogeo con el comienzo del film *Melodías de Broadway 1933*, de Busby Berkeley, en el cual Ingergay Ogerstray cantaba «We're in the Money».

La sala vibró de excitación en el momento en que Dorothy ocupó el estrado en calidad de testigo estelar de la defensa. Los cuellos se estiraron como grúas para dar a los ojos la posibilidad de ver un poco más. No pocas de esas grúas con ojos se vieron decepcionadas. El aspecto de Dottie no era esplendoroso; no se

adaptaba a la imagen que tiene cualquiera de la *femme fatale*. Era una mujer de mediana altura, corta melena rojiza y unos ojos orientales muy extraños para una escocesa. Tenía un rostro descocado, sensitivo e inteligente. Se negó a actuar para la galería; pese a hallarse en serios aprietos, estuvo altanera y distanciada, impidiendo que a los miembros del jurado se les ablandaran los corazones.

No admitió amar a Kelly: era un buen amigo, sólo eso. A su manera intentaba ayudar a su amante, pero su actitud para con el tribunal fue de desdén. Bastó que el fiscal del distrito se acercara a observarla para que lo fulminara con una mirada desafiante.

—De modo, Miss MacKaye, que «iba de juerga por ahí», como dice usted, con Mr. Kelly. ¿Consideraba correctas sus atenciones?

—Sí, claro. A nadie le parecía mal.

—¿Y por qué no?

—Bueno, tenga en cuenta que Hollywood es diferente. Aquí aceptamos que se transgredan las convenciones porque a nosotros nos parece bien así... quiero decir que los profesionales son menos convencionales, más sofisticados...

—¿Tan poco convencionales —se apresuró a acorralar el fiscal— que están dispuestos a *matar* al que se interponga en su camino?

Por unos momentos la tensión en el juicio se distendió gracias a la cómica presencia de Teno Yobu, el joven criado japonés de Kelly, a quien apodaban «Jungla». La sala por poco no se vino abajo cuando Jungla, citado a declarar, ofreció su relación de las «fietas prijama» que con frecuencia se llevaban a cabo en el apartamento de Paul. Contó cómo más de una vez había llevado a Dottie y a Paul el desayuno a la cama acompañado de aspirinas y Alka-Seltzers contra la resaca.

El testimonio de Jungla no favoreció en absoluto a su amo: Paul y Dottie se habían obstinado en negar cualquier clase de intimidad. Sin embargo, hubo declaraciones que parecieron ayudar un poco a

Paul Kelly y su abogado en los Tribunales

Kelly: muchos de sus amigos de Hollywood fueron llamados a declarar como testigos de la defensa: James Kirkwood y Lila Lee (padres de James Kirkwood Jr., autor de la famosa comedia musical «*A chorus line*», el director Lewis Milestone, Nancy Carroll o Marguerite De La Motte. Todos dieron de Kelly la imagen de buen chico, leal con sus amigos, pero aun así el jurado lo declaró culpable de homicidio. Fue condenado a cumplir condena por un período de uno a diez años en la prisión del Estado San Quintín.

Dorothy estaba en un hotel del centro, rodeada de cloqueantes periodistas, cuando una llamada telefónica le informó sobre la condena de Paul. Dio la impresión de que iba a desmayarse, pero en seguida se rehizo e, irguiéndose, murmuró con un deje de arrogancia: «Bueno, ya está».

La indiferencia con que recibió el veredicto indujo a los cuervos de la prensa a encabezar sus respectivas columnas con «sensacionales revelaciones» en torno a un distanciamiento entre Dottie y Paul. Semanas más tarde se verían desautorizados, cuando ella corrió el riesgo de visitar a Kelly antes de su traslado a San Quintín. Habían dejado

salir a Kelly de la cárcel de los Angeles, bajo la custodia de un alguacil, a fin de que arreglase sus negocios. Los trámites tendrían lugar en la casa de un amigo, Ben Wilson.

Dottie era, bajo su máscara de frialdad, una auténtica *grande amoureuse*. Estaba en libertad provisional, pendiente del resultado de su propio proceso. Para su defensa era vital que el jurado guardara de ella una buena impresión, de modo que lo arriesgó todo al ir a ver a su amante. Mientras Mrs. Wilson daba con el alguacil una vuelta por la casa y el terreno para distraerle, la pareja, sentada en un sofá, se tomó de la mano y, si bien no legalmente, en cierto sentido selló su matrimonio. Habían bajado juntos al infierno, pero eso no había conseguido volverlos uno contra otro. Ambos habían madurado notablemente y su amor seguía vivo y sobrevivió a la ordalía: en realidad, era más fuerte que nunca. La verdad es que la historia parecía un guión de cine.

Al día siguiente los titulares ventilaron la noticia del «encuentro clandestino». Después, tras sólo dos horas y media de deliberación, el jurado decidió que Dottie era culpable de complicidad. El juez Burnell la condenó a un período de uno a tres años de prisión, también en la Penitenciaría de San Quintín.

Poco después la visitó en la cárcel de Los Angeles una «llorona». Le preguntó a la actriz por qué había ido a ver a Paul, cuando sabía perfectamente que la noticia del hecho le complicaría las cosas.

—Tenía que hacerlo —replicó ella—. No podía permitir que se lo llevaran así, sin haber intentado demostrarle que lo hecho hecho está y que aun así quedaba un futuro para nosotros. Puede que como actor esté acabado. Eso opinan algunos. Pero todavía es joven... es un luchador y yo creo que no todo está dicho. Quería que lo comprendiera. Necesitaba darle esperanzas, decirle que, si salgo de aquí antes que él, le esperaré cuanto haga falta.

Por más que lo hubiera perdido todo, no pensaba en sí misma, sino en Paul.

Cuando ya estaban en prisión apareció un artículo sobre el caso que comenzaba con el siguiente poema:

Una vez tuvieron un penique
amarillo como el heno.
Ahora están sin blanca
y oyen sonar la flauta...

Contrariamente a lo establecido, Kelly no esperó siquiera en la cárcel de Los Angeles para apelar la sentencia. «Quiero acabar con esto lo antes posible», declaró. En San Quintín se reveló un convicto modelo. El Sonoro se impuso como una bomba, y Kelly leyó todo lo que pudo acerca de la técnica del cine sonoro. Tomó clases de declamación y foniatría. Estaba profundamente convencido de que la mejor manera de no

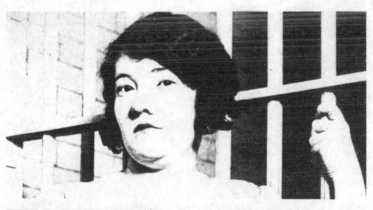

Dorothy MacKaye en San Quintín

47

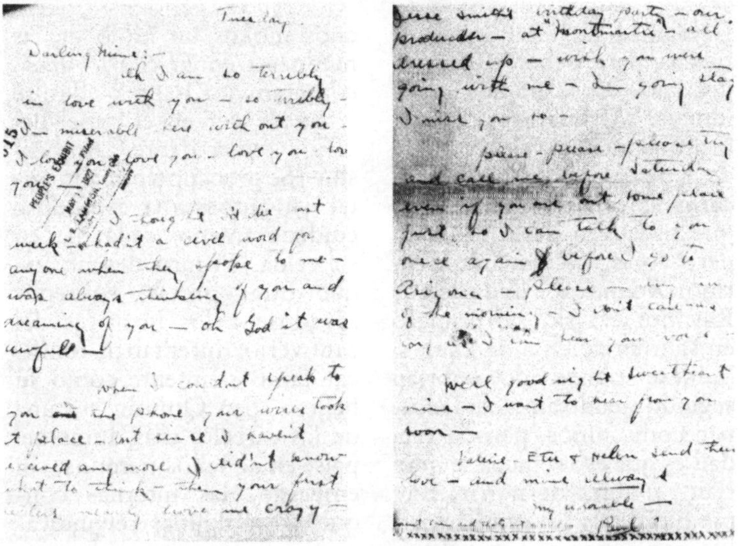

volverse majara era mantenerse atareado y planificar el futuro.

Dorothy, en cambio, esperó siete meses en la prisión de Los Angeles, pero una vez hubo perdido el recurso y el gobernador C.C. Young le hubo negado clemencia, fue trasladada al norte, hacia los tenebrosos confines de la Casa Grande de California. Tampoco ella se mantuvo ociosa. Tomó apuntes sobre las condiciones de las reclusas y, siempre que podía, escuchaba los relatos reales o inventados de sus compañeras. Años más tarde haría buen uso de su experiencia. Organizó un club teatral para presas y dirigió obras en la cárcel.

Una de sus producciones contó con un reparto totalmente integrado por asesinas, encabezado por Clara Phillips, «la asesina del martillo» y Dorothy Ellingson, «la carnicera del jazz».

Un visitante recibió de labios de Dottie su propia versión del caso Raymond:

—Después de la pelea, Paul se disculpó ante mi marido. Ray aceptó las excusas y le dijo que lo perdonaba, que podían seguir siendo amigos. Dos días más tarde, Ray murió. La investigación demostró que la causa había sido un problema de riñones y una hemorragia cerebral producida, no por la pelea con Paul, sino por alcoholismo agudo.

Carta de amor de Paul

← Kelly en San Quintín: prisionero modelo

Debíamos de estar locos de remate para beber tanto; todos nosotros éramos unos idiotas. Me horrorizó descubrir que yo había sido la causa de la pelea. Ray empezó a hacerme la vida imposible desde que se enteró de lo de Paul, pero yo seguía teniéndole cariño. No me cabe duda de que Ray hubiera sido el primero en salir en defensa de Paul; si hubiese sobrevivido, habrían seguido siendo amigos. Pelearon como niños, pero la verdad es que esos chicos se querían. Y antes de morir, Ray me pidió que hiciera lo posible por evitar que mezclaran el nombre de Paul en el asunto. «Mira, cariño», me dijo, «en mi vida me he peleado cientos de veces. Esta no fue más que una estúpida bronca más; la culpa ha sido tan mía como suya. No permitas que ensucien el nombre de Paul». ¡Y por cumplir la promesa que le hice a mi esposo moribundo un jurado me condenó por felonía!

Dottie tenía miedo de que la cárcel le arruinara su aspecto. Se aferraba al sueño de volver a escena cuando la soltaran. Seguía recordando las críticas apasionadas que recibiera por su actuación en *The dove* junto a Richard Bennett. (Bennett, padre de Joan y de Constance, había sido en sus años mozos un ídolo de las matinées; en *El cuarto mandamiento* de Orson Welles, se le puede ver en el papel del viejo comandante Amberson.) Se preocupó por alimentar su autoestima aseándose cuidadosamente cada día en su celda. Pronto descubriría que otras presas, sobreponiéndose a los horrores del cautiverio, intentaban tonificar tanto su mente como su belleza. San Quintín era una de las cárceles más duras del país; en aquellos tiempos, sin embargo, las internas conquistaron algunas reivindicaciones. Se les permitió hacerse su propia ropa y decorarse los uniformes de algodón azul según su propia personalidad. Dottie se erigió en consejera de las chicas en cuestiones de moda. Ellas le abrían su corazón y se desahogaban. Para la actriz, esa temporada «a la sombra» constituyó una extraordinaria y aleccionadora experiencia.

Dorothy Mackaye salió al cabo de un año por buena conducta. Por la misma razón Kelly fue liberado tras veintinueve meses de cárcel. Se casaron en 1931. Fue un buen matrimonio que duró hasta que la muerte los separó.

Women in prison, obra de Dorothy Mackaye producida en 1932, suscitó una opinión

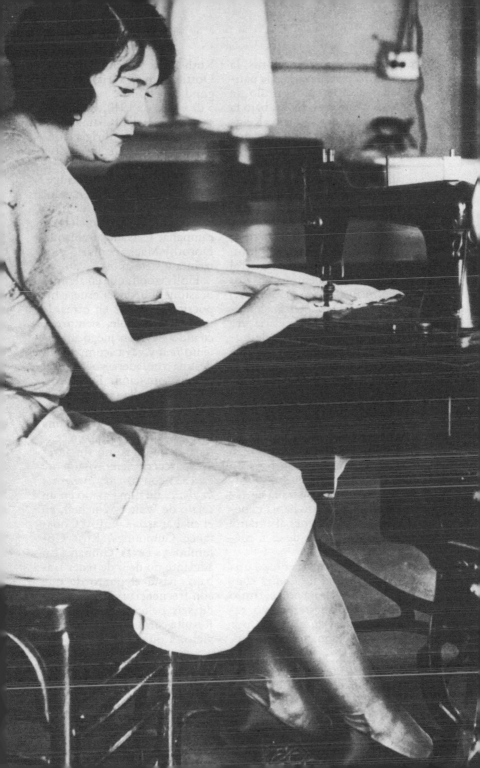

favorable. La Warner Bros. la compró para llevarla a la pantalla en 1933 con el título de *Ladies they talk about*, bajo la dirección de William Keighley. Fue protagonizada por Barbara Stanwyck, que representaba a una dura pandillera afecta a las armas. El excelente reparto secundario incluía a Preston Foster, Lillian Roth, Maude Eburne y Ruth Donnelly. (La fotografía corrió a cargo del gran cineasta John Seitz, quien fuera el magistral cámara de Valentino en *Los cuatro jinetes del apocalipsis*.) El guión de esta eficaz comedia-melodrama carcelaria era fuerte, teñido a la vez de humor y compasión. La película pasó por varios cortes en la Oficina Hays, hasta que al fin la Warner se vio obligada a eliminar algunas escenas relacionadas con la lujuria de las reclusas en abstinencia de hombres. Escenas que, por lo demás, se inspiraban no sólo en las observaciones de Dottie, sino en la frustrada certeza, que su cuerpo había experimentado, de tener al amante a no mucho más de cien metros de distancia.

En 1942 la Warner hizo una nueva versión de *Ladies they talk about*, ahora con el título de *Lady Gangster*, cuyo reparto estaba encabezado por Faye Emerson, Julie Bishop, Ruth Ford y Jackie Gleason. Dottie nunca vería esta segunda versión de su obra. El 5 de enero de 1940, «la mocosa», como Kelly la llamaba cariñosamente, se dirigía conduciendo al rancho Kelly-Mac, residencia de la pareja situada cerca de Northridge, en el valle de San Fernando. El coche patinó al borde de la carretera y dio tres vueltas de campana. Clavada al volante, Dorothy Mackaye murió a los treinta y siete años.

Hollywood, que en algunas ocasiones puede ser cruel e hipócrita, es capaz en otras de mostrarse amable, siempre y cuando haya en juego un talento *real* y vaya acompañado de una verdadera vocación y mucha ambición. Kelly volvió a la pantalla tras su liberación y durante otro cuarto de siglo pudo disfrutar de una carrera exitosa. Actuó en centenares de films, no sin antes «reaparecer» clamorosamente en 1933 con *Broadway thru a keyhole*, un film basado en un relato de Walter Winchell, en el cual aparecía junto a Constance Cummings, Russ Columbo y Texas Guinan. En adelante no dejó de tener trabajo, hasta el punto de que con frecuencia trabajó en más de seis películas en un año. Resulta curioso que el ex-convicto, a quien algunos consi-

deraban un gangster, haya desempeñado muchas veces papeles de representante de la ley. Hizo de carcelero; en *Fear in the night* y en *Side Street* apareció como oficial de policía; en *Torchy Blane in Panama*, como un teniente de la policía. (La reciedumbre de su rostro le permitía encarnar con igual eficacia a un inspector con sombrero de ala caída o a un gangster con sombrero de ala caída.) Cecil B. De Mille le concedió el papel de un oficial de marina en su *Por el valle de las sombras*. Trabajó para todos los grandes estudios, acompañó a Judy Garland y Lana Turner en la opulenta producción de la MGM titulada *The Ziegfield girl* y participó en docenas de films serie B fabricados por la Republic o la Monogram. Compartió cartel con los nombres más famosos: Gary Cooper, John Wayne, Cagney, Bogart, Stanwyck, Bette Davis. Tal vez la mejor de todas las películas en que actuó haya sido *The roaring twenties* de Raoul Walsh, un clásico del cine de gangsters. La produjo la Warner; y ciertamente, aunque Kelly no trabajara más para éste que para los demás estudios, había en él algo característico de los actores de la casa. Durante los años gloriosos de la Warner Bros.,

ahora muy lejanos, la mayoría de los profesionales que actuaban para el estudio no parecían estrellas de cine, sino «gente común». Y Kelly nunca tuvo glamour; era un actor sólido y convincente, dueño de una categórica presencia que confería credibilidad a cualquier tipo de film. (Pese a mantener buenas relaciones con Cagney, Pat O'Brien y Frank McHugh, fuera del plató nunca se le vio demasiado en compañía de la famosa mafia irlandesa de la Warner. Las horas de ocio, por lo general, las pasaba con Dottie o con unos pocos amigos íntimos.)

Su interpretación más recordada siempre será la del extraño amigo de Gloria Graham en *Encrucijada de odios*, un film producido por la RKO. Y, aunque parezca increíble, este ex convicto actuó en dos películas de la Warner escritas por guardias de presidio: *Invisible stripes*, basada en las memorias del carcelero Lawes, y *Duffy of San Quentin*, basada en el libro *The San Quentin story*, de Clinton T. Duffy. En esta última, Kelly desempeñaba el papel de Duffy, guardia de la prisión en la cual él mismo había estado preso durante más de dos años.

Dotty no vivió para ser tes-

tigo de los dos grandes éxitos teatrales de Paul. En 1947 él hizo su triunfal regreso a Broadway en el celebrado montaje que Kermit Bloomgarden realizó de *Sublime decisión*, una obra de William Wister Haines. Por su magnífica interpretación del general de brigada Dennis —duro por fuera y compasivo por dentro—, Kelly obtuvo el Premio Donaldson, el Premio de los Críticos de Variedades y el Tony al Mejor Actor de 1948. En 1951 regresó a Broadway para apuntarse otra victoria encarnando al actor alcohólico Frank Elgin, secundado por Uta Hagen en la versión que Strasberg llevara a cabo de *La angustia de vivir* de Clifford Odets. Al llevar ambas obras a la pantalla, desafortunadamente, los estudios optaron por encomendar los papeles principales a grandes astros del momento: la primera, producida por la MGM, fue protagonizada por Clark Gable; para la segunda, la Paramount escogió a Bing Crosby, cuya pareja fue Grace Kelly. Ninguno logró igualar las versiones escénicas de Paul.

El 6 de noviembre de 1956, poco después de haber ido a votar —por Stevenson—, Paul Kelly murió en su casa de un ataque al corazón.

El asesino Kelly, protagonista de Within the law *con Tom Neal, futuro asesino de su mujer*

¿Por qué ser buena?

Esta sucedió *en* el cine. El primer gran palacio cinematográfico estilo Art Decó fue el Pantages de Hollywood. Construido en 1930 en la intersección de Hollywood Boulevard con Vine Street, había sido diseñado por el inspirado arquitecto teatral B. Marcus Priteca. Hoy en día continúa abierto; se utiliza sobre todo para representaciones de compañías musicales de Broadway. Nueve años antes de su inauguración, Priteca había diseñado otro teatro para el magnate capitalista Alexander Pantages; era un hermoso edificio en un estilo ecléctico Fin de Siglo situado en la esquina de Corner Hill con 7th Street, en pleno centro de Los Angeles.

Fue en esta sala donde la fatídica tarde del 9 de agosto de 1929 una rolliza adolescente, con un corto vestido rojo, salió de pronto gritando del cuarto de limpieza situado en el entresuelo. El público pudo oír claramente su ataque histérico por encima de la banda musical del largometraje.

Un empleado se precipitó hacia el lugar del escándalo; la chica se desplomó en brazos del joven.

—¡Allí está la Bestia! —jadeaba—. ¡El Gran Dios Pan! ¡No dejéis que me agarre!

Señalaba en dirección a un hombre maduro, de pelo plateado, que daba tumbos en el despacho adyacente al cuarto de las escobas. Era el jefe: Pantages en persona. De inmediato llamaron a un agente de tráfico que estaba por allí. Pantages acusó:

—¡Miente! ¡Está tramando algo contra mí!

Así empezó un caso que no sólo acabaría en varios juicios sensacionales propios de Hollywood, sino que además sentaría precedentes legales que más tarde servirán para dirimir futuras querellas por violación.

Pantages había nacido en

← *Alexander Pantages: el Gran Dios Pan ingresa en la prisión*

Atenas. Había llegado a Estados Unidos al filo de la vuelta de siglo. Primero limpió zapatos, más tarde vendió periódicos y por fin fue operador de fonógrafos callejeros y proyector de vistas en parques de atracciones. Durante la fiebre del oro de Klondike se marchó a Alaska; consiguió reunir cierta cantidad de pepitas y en 1902 regresó del hielo. Compró un maltrecho teatro en Seattle y, con su natural intuición para el espectáculo, se las arregló para sacarlo a flote. No tardó en comprar otra sala de vodevil y poco a poco fue introduciendo películas en las sesiones. Con el tiempo llegaría a poseer sesenta salas —la mayoría diseñadas por el gran Priteca— en una franja que se extendía desde México hasta Canadá. Todas las estrellas de variedades de la Costa Este se desvivían por ser contratadas por el tío Pan. (Su único competidor en la Costa Oeste era el Orpheum Circuit, más tarde deglutido por la RKO... el conglomerado Radio Keith Orpheum que surgiera de la empresa cinematográfica FBO, fundada por el padre de Joe Kennedy.) Hacia 1929 Alex Pantages estaba valorado en

El Pantages de Hollywood: obra maestra del Art Decó

unos 30 millones de dólares. La berreante damita del vestido rojo era Eunice Pringle, una fanática del teatro, expulsada del colegio y supuesta bailarina de Garden Grove, California. Alegó haber ido a ver al empresario teatral para interesarlo en un «número» de su invención. Sollozando, dijo a la policía que Pantages la había encerrado en el trastero y, tras arrancarle la ropa interior, la había violado.

La pequeña Eunice tenía un agente: Nick Dunaev. Corrió el rumor de que el tipo era algo ladino, y de que la visita casual de su cliente a Pantages había sido parte de una intriga concebida por él, aunque en connivencia con «altas esferas». La muchacha había comprado un billete para el espectáculo y sin anunciarse había irrumpido en el despacho que Pantages tenía en el entresuelo: el resto era montaje o violación.

Los periódicos hincaron el diente en el caso. El «Herald-Examiner» de Hearst describió a Eunice como «la jovencita más adorable que ha existido después de Clara Bow». El «Los Angeles Times» la llamó «belleza arrebatadora».

Pantages respondió que la chica «se había violado sola»: arrancándose la ropa, se había desgarrado las bragas de tal manera que daba la impresión de que una dotación completa de marineros rijosos hubiese abusado de ella. Dio un argumento de dominio público: en Hollywood era fácil procurarse satisfacción sexual a cada paso y un hombre como él no tenía necesidad de molestar a una muñequita de trapo en el armario de la limpieza.

Para infortunio de Alex, su inglés entrecortado y su aire de extranjero causaron una pobre impresión ante el tribunal, en tanto que el dulce tono de Eunice hizo mella instantáneamente en el corazón de la prensa y el jurado. La opinión pública se enfureció con el repulsivo millonario griego que había desflorado a la nativa margarita de Garden Grove.

Cerrado ya el caso, una cosa quedó en evidencia: la estrella del juicio no había sido ni el lobo ni la margarita, sino el desconocido letrado Jerry Geisler, cuya brillante defensa de Pantages le valió una reputación que lo llevaría a convertirse en el «abogado de las estrellas».

Eunice se presentó a los interrogatorios preliminares con su atuendo más recatado. Interpelada por el fiscal del distrito, declaró:

—Me pidió que fuera su chica. Yo le contesté que a mí

no me interesaba ser la chica de nadie, que lo único que me importaba era el trabajo, pero él me siguió importunando... De golpe pareció que se volvía loco... Me tapó la boca con una mano... Me mordió en el pecho.

Aseguró que, después de perder el conocimiento, lo había recobrado en el trastero descubriendo que tenía el vestido levantado y que las partes de Pantages se hallaban a la vista. Alex sostuvo que la muchacha había ido a verle varias veces, y todas las veces él había rechazado el número que ella le ofrecía porque le parecía «demasiado sugerente».

Cuando el juicio salió a vista en la Corte Superior de Los Angeles, Eunice se presentó ante el público con un infantil vestidito a lo Mary Pickford y zapatos sin tacón. Llevaba el pelo recogido en la nuca. Se hubiera dicho que tenía trece años.

Concluida la declaración preliminar, Geisler aprovechó la inminencia del recelo para exigir que, al reemprender el juicio, la muchacha lo hiciera con la ropa y el peinado que había llevado el día del supuesto ataque. Bajo esa nueva apariencia, tal como se

Tablero de mandos de mármol en el Pantages de Los Angeles: el Gran Dios Pan y la corista

61

comprobó, se convertía en una seductora veinteañera.

Pese a la obstinada defensa de Geisler, el jurado declaró culpable a Pantages y el juez lo condenó a quince años de prisión.

Geisler estaba convencido de que el veredicto no era inamovible; interpuso un recurso que dejaría huellas en la jurisprudencia. Argumentó que, si bien la demandante era menor de edad, el hecho de no haberse aceptado testimonios sobre su conducta había resultado perjudicial para el acusado. Hasta entonces los jueces siempre habían rechazado esa clase de pruebas, basándose en que la moral de los menores no constituía tema de debate porque ninguno de ellos podía dar consentimiento en asuntos de sexo.

Geisler llevó el caso al Tribunal Supremo de California. Una resolución de cuarenta páginas —que sentó precedente estatal en la apertura de procesos por violación— garantizó la convocatoria de un nuevo juicio. El Tribunal observó que «el testimonio de la querellante era lo bastante improbable como para desafiar la credulidad» y decidió —puesto que en cualquier caso de violación la víctima bien podría haber sido anterior objeto de daño, pero con su propia connivencia— aceptar la

---

Eunice Pringle: número de acrobacia
Abogado y cliente: Jerry Geisler y Alexander Pantages →

presentación de toda evidencia relevante.

El caso volvió a abrirse en 1931. Geisler urdió su estrategia sobre el supuesto de que Eunice había conspirado con su agente/profesor a fin de comprometer a Pantages. De nuevo en el estrado, Pringle admitió que una de sus habilidades de bailarina consistía en caer al suelo con las piernas abiertas en línea recta. Jake Ehrlich, socio de Geisler, no tuvo dificultad en convencer al jurado de que una jovencita tan atlética como Pringle, capaz de llevar a cabo semejante proeza, bien hubiera podido defenderse del ataque de un hombre anciano y canijo como Pantages.

Para rematar el asunto, Geisler y Ehrlich recrearon la escena de la violación ante el Tribunal. El corpulento Geisler hizo el papel de Pantages mientras Jake hacía las veces de Eunice. La pareja «representó el lance con exquisito realismo, sin detenerse hasta el momento álgido». Los abogados lograron demostrar lo que se proponían: era imposible que una violación como la descrita por Eunice se produjese en un cuarto trastero.

Ehrlich se descolgó por sorpresa con un nuevo testigo: la anciana que administraba los bungalows Moonbeam Glen, donde Eunice y su agente habían convivido como pareja, pese a no estar casados. Al principio, la anciana, ávida lectora de los periódicos de la cadena Hearst y miembro de la «Asamblea de la Verdad Evangélica», se había negado a hacer cualquier cosa que pudiese ayudar a Pantages. «No ayudaría a ese ricachón que atropella a las mujeres ni siquiera por salvar mi vida», había declarado. «En Babilonia había montones de sujetos como ése antes de la Caída. ¡Es la *bestia*!» Ehrlich le citó largos pasajes de la Biblia y, tras algún tiempo, la convenció de que comparecer ante la Justicia era para ella un deber moral. Una vez allí, la anciana denunció al antiguo inquilino del bungalow 45 y con toda suerte de detalles picantes echó por la ventana toda la declaración de Eunice. Resultado: el veredicto fue inocente.

La persona más disgustada con el resultado del nuevo juicio no fue la pequeña Eunice, sino Joseph P. Kennedy, contrabandista de licores para la colonia cinematográfica, dueño de la FBO Pictures y padre de un futuro presidente de los Estados Unidos. Kennedy había cobijado la esperanza de acabar con Pantages y gracias

al proceso hacerse con su circuito teatral. Eunice, en su lecho de muerte, confesaría que el cerebro de la conspiración había sido Kennedy.

Más tarde fue la Warner la que se quedó con el teatro Pantages. El hecho de que la mayoría de las películas de Errol Flynn se proyectaran allí no deja de ser irónico, porque fue el caso judicial que se originó en el trastero de ese teatro el que sentó los precedentes legales que salvarían al galán de la Warner cuando dos adolescentes lo acusaron de violación.

En los años 60 el teatro fue adquirido por la Iglesia Internacional de la Compasión, que reemplazó buena parte del diseño de Priteca por una estridente decoración evocadora de los antiguos Hotel Fontainebleau. Esa Iglesia acabó arruinada; la última vez que visité el edificio, se había convertido en una tienda de joyas. La sólida marquesina de Pantages, una pieza de mármol enmarcado en oro,

Eunice Pringle y sus padres durante el juicio

65

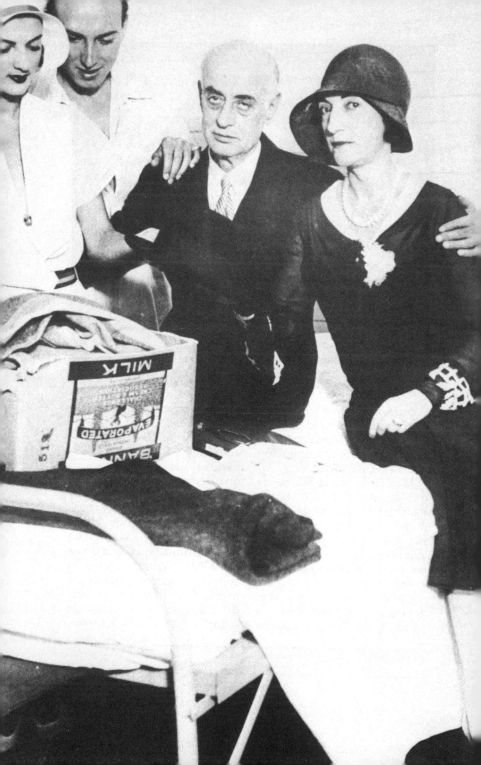

única entre los teatros de todo el mundo, seguía en su lugar. Lo que ya no existe es el histórico trastero.

La película que ofrecían en la sala el día en que Eunice Pringle se hizo pasar por una casta jovencita brutalizada por un griego viejo verde, era *¿Por qué ser buena?*, de William A. Seiter. Cuenta las desventuras de una casta jovencita, Colleen Moore, que pretende pasar por una «fresca» para llamar un poco la atención.

Una banda de música para celebrar su liberación
← *Hija, hijo y Sra. Pantages llevan a Papá una caja de Necesidades*

Joe el licorista

EL BANQUERO JO-SEPH PATRICK KEN-NEDY fue la contribución bostoniana a la historia de Hollywood en forma de cortina de encaje irlandesa, gracias a su arrolladora conducta con Miss Gloria Swanson, Estrella, otra pendenciera irlandesa. La lista de personajes de este drama de sexo y dinero alcanzó también a Rose, la esposa de Joe, toda una santa, y a una recua de hijos, algunos de los cuales alcanzarían la fama y muchos caerían víctimas de alguna tragedia.

El carácter de Joe Kennedy fue claro desde el inicio: exento del espíritu deportivo propio de un caballero, Joe era un rudo competidor que amaba la victoria y *odiaba* perder. Los Kennedy acabarían por vencer: todo cuanto él no pudo hacer por sí mismo acabaría por conseguirlo su ejército de vástagos. Es por eso por lo que los había tenido. «*¡A por ello!*» fue el lema de Big Joe durante toda su vida.

La libreta de calificaciones de Joe en la Boston Latin, su escuela primaria, predecía que el muchacho haría carrera «de manera harto tortuosa». La predicción puede considerarse visionaria, si pueden considerarse tortuosos los caminos que pasan por Wall Street, el contrabando de whisky escocés y Gloria Swanson de Hollywood.

En Harvard, Joe aplicó su lema «¡A por ello!» al reto deportivo. En un abrir y cerrar de ojos fue capitán del equipo de béisbol y lo llevó a la victoria. Y, como todo lo que tocó, el deporte le proporcionó valiosas enseñanzas para su futura carrera. «Recuérdalo», le gustaba repetir, «si no puedes ser capitán, mejor no juegues».

Una vez graduado en Harvard y poseedor de algunos ahorros, decidió que a los treinta y cinco sería millonario y se salió con la suya.

Joseph P. Kennedy: películas y licor clandestino

69

Cómo, no importa; se salió con la suya.

A los veinticinco era el presidente de banco más joven de Boston. «Ser joven no es ningún delito», comentaba. Joe Kennedy actuaba como un lobo solitario, alerta a los rumores de Wall Street, atento a los chismes que aportaran información aprovechable, y al mismo tiempo reservado con respecto a sus propios negocios. Con el advenimiento de esa Gran Chifladura que fue la Enmienda Décimoctava, su buen sentido irlandés le llevó a presentir que el ingenio humano burlaría muy pronto aquella estúpida legislación. Poco después, barcos clandestinos cargados del mejor whisky irlandés o escocés y el más codiciado champán de Francia cruzaban el «Charco» rumbo a los depósitos secretos de Kennedy en ambas costas. Ese «pequeño juego» rin-

dió copiosos beneficios: Joe Kennedy, fundador de una dinastía, fue durante los años veinte el máximo contacto del tráfico de alcohol en Hollywood: el gran jefe de los licoristas. Y así, los escasos millones invertidos en el tráfico ilegal se transformaron en una fortuna familiar multimillonaria cimentada en una bebida que sigue fluyendo aún hoy.

Sin embargo, Kennedy no era un jugador. El mismo analizaba la diferencia entre el juego y la especulación: «La motivación principal de la mayoría de los jugadores es la excitación. Los jugadores quieren ganar, pero la mayoría obtiene placer incluso si pierde. En cambio, la fuerza motora de la especulación es, más que la excitación, el deseo de ganar». Joe sólo se sentía feliz sentado en un trono al pie de un Arco del Triunfo.

Uno de los amigos de Kennedy era un banquero de una pequeña ciudad que había invertido 120.000 dólares en una película —*The miracle man*— con Lon Chaney y obtenido tres millones. A Joe le pareció que Hollywood era una pera madura que había que recoger. Su primer gambito en los dominios de la Pantalla Plateada fue la adquisición de una cadena de treinta y seis cines en Nueva

S.L. «Roxy» Rothafel

Joseph Kennedy y Jesse Lasky →

Inglaterra. Pero su ambición no se detuvo en los confines de las trece colonias. Kennedy planeaba hacerse con salas de cine en todo el país: las cadenas Balaban and Katz en el Midwest serían suyas no bien encontrara su talón de Aquiles. Alex Pantages, ese analfabeto campesino griego con sus fantásticos palacios cinematográficos en la Costa Oeste, también estaba a punto para la cosecha. Bastaba con detectar el punto débil... ¡y lanzarse hacia la yugular!

No bien empezaron a tronar los años veinte, el cine se convirtió en una obsesión nacional. Las satánicas factorías de Hollywood lanzaban al mercado kilómetros de celuloide a la semana. Los sueños de huida alimentaban un negocio creciente, favorecido por el impulso de vivir a toda velocidad y por las amorosas y complacientes mujeres que lo poblaban. (Hacia finales de la década, iban al cine unos 60 millones de norteamericanos, repartidos entre las 21.000 salas con que contaba el país.) Cada semana brotaban salas más grandes y más fastuosas.

Sí señor, no había negocio como el reciente negocio del cine. Muchos dudaban de si se trataba de un negocio nacional. Cada película conllevaba nuevos problemas y distintos riesgos. Enteras fortunas privadas y de grupos financieros se tambaleaban vertiginosamente de un año para otro.

Los hombres del gremio que desde las alturas se esforzaban por adivinar las fantasías de millones de adictos eran un extraño puñado de empresarios advenedizos y mezquinos, emigrantes recién llegados, judíos codiciosos y hambrientos lanzados a la caza, aún marginados en el crisol étnico nacional. Estaban el ex peletero Adolph «Jesús el Susurrante» Zuckor y su futura estrella, la Swanson, una enana; el mayorista en pieles Marcus Loew; el ex trapero y chatarrero Louis B. Mayer; el ex vendedor de guantes Samuel Goldfish, que luego cambió su apellido por Goldwyn. Muy pocos, como el productor de vodeviles Jesse Lasky, provenían realmente del mundo del espectáculo. Temerarios, intuitivos, desinhibidos, los fundadores de la industria del cine eran una nueva raza de mandarines que se habían hecho a sí mismos. Joe el irlandés iba al encuentro de una competencia muy dura. No obstante, gracias a su impulsivo «¡A por ello!», Kennedy fue más rápido que muchos.

El sentido de la oportunidad de Kennedy era perfecto.

Irrumpió en Hollywood en el momento preciso, cuando la marea de la prosperidad se hallaba en su punto más alto. Hombre de sonrisa fácil, modales campechanos y palabra llana, no exenta de barbarismos, exudaba una suerte de energía sexual contagiosa y poco se parecía a los proverbiales exponentes de Wall Street, envarados y de mirada fría. Parecía y se portaba como un hombre de cine.

Con alguna ayuda del Príncipe de Gales, compró a sus zozobrantes propietarios los estudios de la Robertson-Cole. En febrero de 1926, Kennedy pasó a dirigir la FBO Pictures (Film Booking Offices of America, Inc.) que había comprado sin ver siquiera las instalaciones. Des-

pués de trasladarse de Boston a Nueva York, viajó por primera vez a Hollywood para echar un vistazo a su nueva propiedad.

Se encontró con un estudio que, si bien carecía del prestigio de los grandes, no era un mal negocio, pues producía un largometraje por semana a un coste base de 30.000 dólares por film. La baza más alta de la empresa era Fred Thomson, el primer cowboy del cine en dar a su caballo el rango de estrella de cartel. (Se trataba de Silver King [Rey de Plata] un corcel que iba al trabajo en una furgoneta Packard de lujo.) Kennedy firmó con Thomson un nuevo contrato: quince de los grandes a la semana, el doble del salario anterior.

Aunque los productos de la FBO eran populares en las pequeñas ciudades, aún no habían triunfado en los grandes mercados urbanos y en sus correspondientes taquillas. Kennedy fue a ver a «Roxy» Samuel L. Rothafel. Dos de los titanes de las finanzas se miraron a los ojos:

—Intenta un Fred Thomson —espoleó Joe.

Roxy vaciló, su público quería mucha «carne y el diablo», mas no precisamente carne de caballo.

—No te costará nada —deslizó Joe, y se apuntó el tanto.

Cuando se demostró que *The sunset legion*, un western de Thomson, era un éxito en la fabulosa «Catedral del Cine» de Roxy, Joe pudo permitirse observar con desdén:

—Roxy no conocía a su propio público. Ahora no pone otra cosa que películas de vaqueros.

La siguiente evidencia del olfato de Kennedy para el espectáculo tuvo que ver con Red Grange, el célebre «Jinete Fantasma» del equipo de fútbol de la Universidad de Illinois, más tarde un ídolo como profesional. Grange había proclamado a los cuatro vientos que estaba dispuesto a entrar en el mundo del cine, pero, uno tras otro, los estudios lo habían rechazado. Kennedy se dirigió a su público potencial favorito y le planteó la pregunta: «¿Os gustaría ver a Red Grange en la pantalla?». Sus hijos Joe y Jack exclamaron al instante una respuesta afirmativa. Grange desempeñó el papel estelar en *One minute to play* y, dirigida con habilidad por Sam Wood, la película rindió cuantiosos beneficios.

Como sabrán mis queridos y devotos lectores tras haberse internado en las páginas de mi anterior volumen, no todo fue coser y cantar en la fábrica de sueños en los años veinte. Tras una serie de desagradables escándalos, Hollywood era, a los ojos de media América, una auténtica Babilonia moderna con Sodoma por suburbio. Los magnates se dispusieron a limpiar la casa elevando a Will Hays, ex inspector general de correos de Harding, a la categoría de «zar» del maquillaje moral del cine.

En un intento de adecentar la fachada de Hollywood, Kennedy puso en marcha la idea de enviar a un grupo de hombres prominentes de Tinseltown a dar conferencias en la Escuela de Finanzas de Harvard. Harvard los esperaba; los conferenciantes partieron. Es una vergüenza que no

---

← *El perfumero con perlas de Gloria Swanson: regalo de Joe* hayan quedado grabaciones de sus charlas: hoy no tendrían precio. Los conferenciantes eran prácticamente analfabetos y, en todo caso, la mayoría no tenía estudios superiores.

Kennedy absorbió el imperio teatral del viejo E.F. Albee ofreciéndole por el circuito de salas de vodevil un precio que el anciano no podía rechazar. En el momento de la transacción, las acciones del circuito Keith-Albee Orpheum se vendían a 16 dólares; dos semanas después valían 50. Una vez más, el mágico toque Kennedy. (Tiempo más tarde, al cabo de nuevas e inspiradas anexiones, la sigla RKO acabaría por asentarse como marca distintiva de un famoso estudio de prestigio.)

Entretanto, la Swanson, la más glamorosa de las reinas del cine, regresaba a Hollywood tras una encopetada temporada en Francia, donde había filmado *Madame Sans Gêne* en escenarios naturales. Cuando volvió, provista de su fabuloso nuevo título, marquesa de la Falaise de la Coudraye, Gloria envió a la Paramount una nota con instrucciones: «Se ruega preparar ovación». Kennedy y la marquesa Gloria se encontraron pues bajo un arco de flores entre una muchedumbre de

«ovacionadores». Fue como un detonante químico: la atracción de los opuestos, alto y baja. Kennedy quedó encantado con la diminuta criatura; Gloria tendió sus redes. La vamp agitó sus párpados en abanico y arrulló: «Joe, eres el mejor actor de Hollywood».

Gloria «presentada» por Joseph P. Kennedy

Se hicieron amantes, y su relación quedó sazonada por la existencia de un lugar secreto para los encuentros horizontales del ilícito asunto. Kennedy, embadurnado en lujuria, perdió el olfato para los negocios entre las púrpuras sábanas de satén de su nido de amor en Hollywood Hills. Se dedicó a financiar películas independientes para su amante bajo el vanidoso rótulo de Gloria Productions, Inc. Gloria no tardaría en conocer el precio de la presunción. El Reloj del Castigo aceleraba el ritmo de su compás.

La más atrevida producción de la pareja debía titularse *El pantano*. Esas tentadoras arenas movedizas serían dirigidas por Erich von Stroheim, genio indiscutido pero errático. Su método para hacer películas consistía en exponer kilómetros de película, improvisando sobre la marcha y sin recato alguno en las escenas de tipo sexual. En *El pantano* contaba la historia de una muchacha criada en un convento que hereda una red de burdeles africanos. La escena culminante debía mostrar a la antigua inocente irlandesita, convertida en próspera alcahueta, atendida para los últimos ritos en su lecho de muerte por un giboso joven sacerdote. El gancho consistía en una in-

tensa atmósfera de necrofilia.

Gloria aprendió lo que significa estar aterrada: «Von» cambiaba el guión día tras día, truco mediante el cual esperaba atraparla en un punto en el cual la producción no pudiera dar marcha atrás. No es que el film fuese «verde»; simplemente que, en 1928, era improyectable.

Gloria telefoneó a su amante en Nueva York: «Joe, ¡el hombre que dirige esto es un lunático!». El católico Kennedy también estaba aterrado; sabía muy bien que el zar Hays no dejaría pasar aquel ramillete de dioneas afrodisíacas. Despidieron al genio von Stroheim. Kennedy se presentó en Tinseltown y, con la ayuda de su asustada amante, hizo lo posible por salvar el pastel. Ante todo cambió el título del film: pasó a llamarse *La reina Kelly* (¡aunque la majestad de la dama consistía en reinar sobre una cadena de lupanares!). La chapucesca e inconclusa película nunca se exhibió en los Estados Unidos; Kennedy vio cómo 800 de los grandes —una enormidad de dinero en 1928— se iban por el desagüe.

Era la primera vez que una gran operación le salía mal; lo tomó como suelen tomarlo los malos perdedores, y durante varias semanas estuvo de

"WHAT A WIDOW"

un humor de perros. Durante este mal rato Gloria perdió buena parte de la fascinación que ejercía sobre él. La flor empezaba a marchitarse. Aunque apoyara a su amante en su primer film sonoro y musical, *The trespasser* (1929), y en ese engendro Art Decó de 1930 titulado *What a widow!*, tuvo lugar una amarga ruptura y Gloria acusó a Joe de haberle dejado con una montaña de cuentas impagadas.

Echando a Gloria y *El pantano* en el olvido, Kennedy puso manos a la obra de un inicuo proyecto financiero. Se dedicó a destruir la reputación de Alex Pantages, con el fin de caer sobre él y apoderarse de la cadena de cines Pantages.

Al demonio Joe Kennedy le quedaba una última broma por gastar, esta vez sobre el propio Kennedy. Se retira Gloria Swanson, vestida de satén negro; entra Eunice Pringle, vestida de satén rojo. Miss Pringle, de diecisiete años, fue enviada al Pantages Theater, aunque no con la misión de ver una película. Acusó a Pantages de haberla violentado sexualmente en su teatro durante una entrevista laboral. Un jurado declaró un día a Pantages inocente.

Fracasado su satánico plan, Kennedy abandonó el mundo del cine. El último refugio de los bribones es la política.

Otra presentación de Kennedy
Joseph Kennedy y su esposa Rose. Gloria iba también a bordo →

La legión blanca
y el perrito púrpura

El 13 de febrero de 1939, todo Hollywood se quedó de piedra al saber que a George Cuckor, uno de los directores más profesionales y respetados del mundo del cine, le habían echado del rodaje de *Lo que el viento se llevó* (pocos días más tarde lo reemplazaría Victor Fleming). Cuando comentan la decisión del productor David O. Selznick, los estudiosos de la historia del cine suelen interpretarla de la siguiente manera: si bien Cuckor era conocido y admirado como un «director de mujeres» y era brillante dirigiendo a Vivian Leigh y a Olivia de Havilland, Clark Gable se empeñó en que lo cambiaran por su amiguete Fleming, un «director de hombres», que le dedicaría a él mayor atención. Esta explicación es una falacia. El motivo *real* del cese sí estaba relacionado con Gable, pero era de naturaleza tan escandalosa y hasta tal punto confidencial que se destruyeron todas las copias de los informes de Selznick relativos al despido de Cuckor.

Gable era la clave del asunto, pero la causa real era un jovencito quinceañero en la vida sexual de «el Rey» —y de «la Reina» [en inglés «Reina» es «Queen» que también quiere decir en el argot gay «mariquita». (N. del T.])— «La Reina», era William Haines, por entonces un popular astro de la MGM que no tenía nada que ver con *Lo que el viento se llevó*. Lo habían echado de la MGM en 1933, cuando su descarada homosexualidad empezó a causar problemas en el remilgado estudio.

William Haines era un «hijo del siglo». Había nacido unos minutos después de la medianoche del 1.º de enero de 1900 en Staunton, Virginia. Fue allí a la academia militar, estudió arte dramático

y, luego de graduarse, consiguió un trabajo de recadero en Wall Street. Aburrido del empleo, en 1922 se presentó a un concurso de «Caras Nuevas» patrocinado por Samuel Goldwyn, y lo ganó. El director de reparto Robert McIntyre, responsable de la búsqueda, seleccionó a Haines entre miles de aspirantes de Nueva York. Hollywood lo admitió y el muchacho ingresó en el cine como «pupilo artístico» de la Goldwyn Company. Cuando la Metro y la Goldwyn se fundieron en la MGM, el nuevo estudio heredó a Haines. Durante los seis siguientes años actuó en un promedio de media docena de films al año para la MGM, apareciendo junto a Joan Crawford, Marion Davies, Mae Murray, Norma Shearer y Mary Pickford y siendo dirigido por Victor Seastrom, Clarence Brown y King Vidor.

Sus primeros films fueron muy distintos y diversos. El versátil aprendiz de 1,80 representaba dramas o comedias con expresivos recursos mímicos e igual destreza. A finales de los años veinte era una de las estrellas más conocidas y activas de la constelación de la MGM y se había convertido en prototipo del personaje que sus admiradoras preferían: un joven ingenioso y encantador, aunque a menudo arrogante, una especie de *flapper* masculino [las *flappers* eran esas muchachas de pelo y faldas cortas, versadas en charleston y descaro, que escandalizaron a sus padres y fueron el símbolo de los locos años veinte. (N. del T.)], siempre animado y encandilado —solía actuar como si acabara de esnifar una tira de coca—, al que siempre le cortaba las alas la chica de la que se enamoraba. En *Slide, Kelly, Slide*, una comedia sobre el mundo del béisbol, era un engreído lanzador; en *Spring fever*, un campeón de golf algo cabezota; en *West Point*, un jugador de fútbol algo presumido; y en *The smart set*, un insolente deportista que se presentaba como «la joya del polo norteamericano». Indefectiblemente, al final de la película, depuesta su petulancia, demostraba que «en el fondo era un buen chico».

Es curioso que, en su crítica a *Vino de juventud* de King Vidor, el «New York Times» señalara que Hal, el personaje interpretado por Haines, hacía lo posible «por convertir la historia en una aventura gay». En *Tell it to the marines*, uno de sus films más interesantes, el sargento Lon Chaney y el recluta Haines sostenían algo que sólo podía describirse como una relación sadomasoquista de amor y odio.

Haines fue la primera estrella de la MGM en enfrentarse al micrófono en la película *Alias Jimmy Valentine* (1928). La película fue realizada como un film mudo, pero al ver que otros estudios estaban lanzando ya productos sonoros, Irving Thalberg ordenó que volviera a producción, y Haines y su compañero Lionel Barrymore repitieron sus papeles, con sonido, en las escenas de los dos últimos rollos. En esa época las técnicas eran aún primitivas y los micrófonos se escondían en ramos de flores o debajo de las mesas. La película fue un gran éxito, pero Haines describió la llegada del sonido a la MGM como «una segunda noche del Titanic».

Haines era tan arrogante y chistoso dentro como fuera de la pantalla, y, asimismo, muy popular, no sólo en la sociedad de Tinseltown, sino también entre los técnicos, almaceneros y operarios del estudio, a quienes solía saludar con afectuosas palmadas en el hombro. En un clima tan melindroso como era el de la MGM, él era el bufón oficial de la MGM, relajante y glamoroso.

Con el advenimiento del sonoro, L.B. Mayer ordenó que todos los actores bajo contrato que no tuvieran además alguna experiencia teatral debían recibir clases de elocución. Una tarde, el profesor de voz que dictaba ejercicios labiales a un grupo de actores, le pidió a Haines que recitara rápidamente una frase tipo «Pronto los patos poblaron la estepa de prístinos presagios». Haines se cansó de repetirla y comenzó a balbucear. El profesor le regañó:

—Lo que pasa, Mr. Haines, es que tiene usted el labio perezoso.

Haines (cuya fama de ser un buen mamón era legendaria en Hollywood), replicó:

—¡Nunca hasta ahora he tenido quejas!

Lo cual dejó de una pieza a todos los presentes.

Al principio, Thalberg simpatizó con Haines y no vio inconveniente en que acompañara por la ciudad a su hermana Sylvia, a quien, en un acto de nepotismo, había dado un empleo muy bien pagado en el departamento de guiones de la MGM. A menudo, Haines iba con Irving y Sylvia a pasar los fines de semana junto al lago Arrowhead. No obstante, el precoz y genial productor aborrecía el contacto físico con la mayoría de la gente, y Haines, como otros, también acabó añorando la intimidad de sus modales algo aviesos. Casado ya con Norma Shearer, Thalberg llegó una noche a una fiesta que Marion Davies ofrecía en San Simeon, el palacio «Xanadu» construido para ella por su amante William Randolph Hearst. Los dos Thalberg iban vestidos igual: de cadetes de West Point. Haines toqueteó un poco a Thalberg y dijo: «Perdóname, Irving, te había confundido con Norma». El productor, a quien el chiste no hizo gracia, jamás perdonó a Haines y se lavó discreta-

William Haines y Hedda Hopper en A tailor-made man

84

mente las manos cuando su antiguo amigo fue despedido por L.B. Mayer.

La tormenta se desató en 1933. Guiado por la mano de hierro de Mayer, Howard Strickling, jefe de publicidad de la MGM, se aseguró de que los informes periodísticos sobre las actividades de las estrellas del estudio se adecuaran a una imagen estricta: una imagen tan pulida y controlada como la que pudiera salir del Ministerio de Información del Tercer Reich. Se concertaban o destruían romances, se provocaban fugas y se inducían abortos en Tijuana, todo de acuerdo con lo que Mayer y Strickling considerasen más apto para llenar las voraces taquillas de los cines de la cadena Loew a lo largo y ancho del país. La imagen masculina del estudio era de extrema importancia: Gable encarnaba al deportista al aire libre; John Gilbert, al amante eximio; Wallace Berry, al grandote palurdo con un corazón de oro (en la vida real Berry era un cerdo inmundo). Tan pronto como en las columnas aparecieron ciertas indirectas, obviamente referidas a Haines, sugiriendo que el actor era marica, cundió el pánico en el Departamento de Relaciones Públicas de la MGM. De inmediato fabricaron una

tonelada de material de prensa para difundir la «noticia» de que Haines se había enamorado repentinamente de Pola Negri. Los fans se vieron beneficiados con fotos de la enorme cama que Pola y Billy compartían cuando se casaron.

Pero las cosas fueron de mal en peor. Haines amaba a su amigo Jimmy Shields, su antiguo doble, pero, como a la mayoría de los homosexuales —como a la mayoría de los *hombres*—, de vez en cuando le gustaba echar una canita al aire. Sentía algo por los uniformes. El mismo los había llevado en *Tell it to the marines*, *West Point* y *Navy Blues*. Le gustaba ponerse ropa militar; pero le gustaba aún mucho más disfrutar de soldados de verdad en los barrios bajos de Los Angeles.

Se conocieron en Pershing Square. Uno era un astro de Hollywood que encarnaba a militares en la pantalla; el otro, un marinero de la armada norteamericana, honrado y buen chico hasta la médula, diez años más joven que el actor, de permiso mientras su barco repostaba en San Diego. Aquella susurrante fuente de la plaza, rodeada de palmeras, era un conocido lugar de ligue homosexual; de allí, la flamante reciente pareja

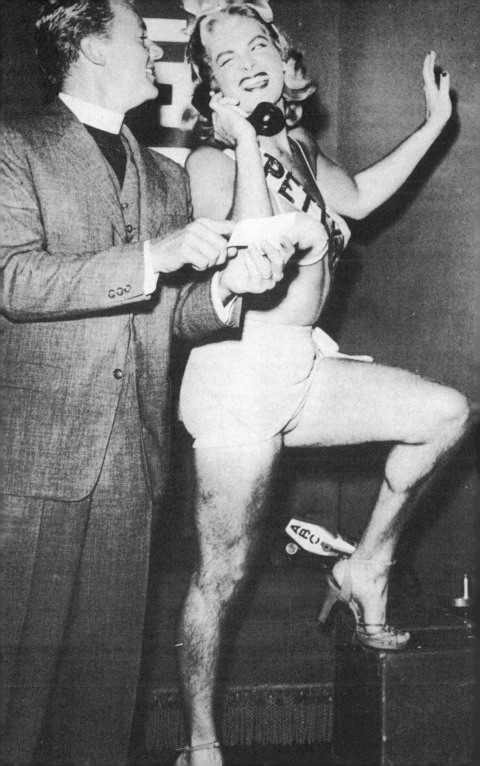

se trasladó al no menos célebre edificio de la YMCA (Asociación de Jóvenes Cristianos), en cuya séptima planta Haines alquiló una habitación. La aventura en aquel séptimo cielo no duró mucho: un vigilante y la Brigada contra el Vicio la interrumpieron esa noche repetinamente. En el momento en que se cerraban las esposas, dos carreras llegaron a su fin: la del muchacho en la Marina y la de Haines en la MGM. L.B. Mayer, informado al instante de la redada, explotó. Hacía apenas unas semanas que, picado por los rumores de las columnas de chismes, el inflexible, cuadrado y braguetero cacique le había dado al hermoso conquistador gay un ultimátum: o arrojaba a Jimmy Shields a un pozo y se agenciaba una esposa bajo la forma de Pola Negri —o cualquier otra actriz respetable—, o podía despedirse de su carrera. Cuando se enteró de que había sido arrestado, Mayer despidió a Haines al instante. Por lo demás, la vieja rata decidió que aquello no era un mal negocio. Encuestas recientes demostraban que la popularidad del actor de treinta y tres años, el estudiante de secundaria más viejo de Norteamérica, se hallaba en declive. (Las convicciones morales de Mayer eran tan flexibles como la gomita con que se sujetan los billetes de dólar. Cuando, una década más tarde, otra estrella de la MGM se vio en un brete similar, Mayer consiguió anular los cargos morales —cosa nada difícil en una ciudad de grandes empresas como Los Angeles— y siguió dando trabajo al muchacho. Es que el rubio en cuestión era todavía taquillero.)

Los capitostes eran una mafia; Mayer se cercioró de que ningún otro estudio empleara a Haines. Este filmó dos cortos en la Mascot, un estudio de cuarta categoría, y nunca volvió a aparecer en película alguna. Algunos libros de cine suelen incluirlo con John Gilbert entre las víctimas del sonoro. Pamplinas. Tenía una voz excelente, del todo adecuada a su imagen cinematográfica, como cualquiera de sus films sonoros puede demostrar. La verdad lisa y cruda es que lo purgaron por marica.

En 1950, cuando había alcanzado la cima de una segunda carrera como decorador, Haines recibió la oferta de un papel de relleno en *El crepúsculo de los dioses*, donde aparecería junto a H.B. Warner y Buster Keaton. La rechazó. «Estoy satisfecho con

el trabajo que tengo ahora», le dijo a Billy Wilder. «Es limpio, sin maquillajes en la cara».

Que nadie derrame lágrimas por Billy. Llevó una buena vida y muy sensata. Estudió sus jugadas —y sus jugueteos— con el mayor cuidado. Ya en 1930, mientras astros del cine mudo más intachables que un sacristán y renombradas divas condenadas por tener voz de trompetín caían en la cuneta, Haines sentaba las bases de su segunda carrera. Siempre había sido un apasionado aficionado al diseño decorativo y tenía un excelente gusto. En 1930, inició a su «secretario» (léase amante) y doble Jimmy Fields, en el negocio de la decoración, manteniéndose él mismo en calidad de socio en la sombra.

La empresa funcionó moderadamente bien durante algunos años. Haines, absorbido aún por el cine, nunca tenía tiempo de decorar una casa entera. Cuando su carrera cinematográfica naufragó, tres grandes estrellas, que pasaron a ser amigas para toda la vida, que apreciaban su ta-

El decorador Haines y dos clientes, los Frederic March

lento, sus buenos modales y su buen humor de chismoso y para quienes Haines era una suerte de hermano/hermana —Carole Lombard, Joan Crawford y Marion Davies—, le ofrecieron una incalculable ayuda para salir adelante en su nueva actividad.

En 1934, después de divorciarse de William Powell, Carole Lombard se puso a buscar una casa para ella sola. Compró una casa sencilla, no muy grande, y contrató a Haines para que se la «montara» de punta a punta. Haines decoró la casa según la personalidad de la estrella y creó un interior alegre, femenino y ligeramente estrafalario. A menudo, mientras discutían los proyectos, Carol se paseaba desnuda por delante de Haines. El describió del siguiente modo una de las sesiones:

—Llegaba tarde a un partido de tenis, pero quería seguir conversando mientras se cambiaba. Atónito, la vi desnudarse por completo, sin dejar de mirarme un segundo ni de hablar del Hepplewhite y el Sheraton. Nunca llevaba sostén; y a veces ni siquiera bragas. Aquélla era una de esas veces. Notó mi mirada, sorprendida, y la recuerdo diciendo algo muy inteligente: «Billy, no lo habría hecho, si creyera que te iba a inmutar».

(Años después, Clark Gable, ya casado con Carol, al fijarse que su mujer era extremadamente cariñosa con todos los hombres de Hollywood, le preguntó algo molesto: «¿No tienes acaso ninguna amiga?». Y ella contestó: «Tengo a dos grandes amigas: Mitch Leisen y Billy Haines».)

La casa de la Lombard fue el primer gran encargo personal de Haines; lleva su nombre inscrito en ella. Rehusó el cheque que la deliciosa rubia le había firmado. «Me ofrecí a hacer el trabajo sin cobrar nada sabiendo que, si a la gente le gustaba, mi negocio iría luego sobre ruedas.»

Haines decoró la casa de Lombard desafiando el «estilo moderno de Hollywood», saturado de blanco, que por entonces se había convertido en un cliché. Transformó los interiores en un estallido de colores, sobre cuyo fondo la rubia belleza de la actriz destacaba más aún. El estudio era un mar de terciopelo en seis tonos de azul, con muebles franceses estilo Imperio. En el dormitorio colocó una enorme cama cubierta de satén color ciruela y con una pantalla de espejos a cada lado. Muy pronto en Hollywood todo el mundo hablaba de la casa de la Lombard, y

Haines, cuyas finanzas habían acusado en los últimos tiempos cierta fragilidad, se vio desbordado de clientes. Hasta la última estrellita en ascenso quería una pantalla de espejos a cada lado del trajinado lecho.

El paso siguiente consistió en emplear a un equipo de seis personas y en diseñar en Beverly Hills sus nuevas oficinas en un estilo moderno a base de ladrillos y cristal hilado. Con el tiempo su clientela llegaría a incluir a gente como Nunnally Johnson, Claudette Colbert, William Seiter, Joan y Constance Benet, Jack Warner y Lionel Barrymore. Uno de los problemas que más le gustaba resolver era conciliar el espacio de una sala privada de proyección con las exigencias de una estética hogareña. En la casa del productor William Goetz, por ejemplo, escondió un proyector en el estudio detrás de una colección de cuadros. *Chez* Nunnally Johnson, el proyector quedó oculto por varias hileras de falsos libros. Arregló con inteligencia la biblioteca de Jack Warner estilo siglo XVIII inglés de modo que también pudiera servir de sala de proyección. El lujoso yate de Leila Hyams se construyó según diseños realizados por Haines. Uno de sus encargos

más sonados fue el del nightclub Mocambo: docenas de pájaros se alojaban en jaulas de cristal, en un decorado de carnaval veneciano, y había un sistema de luces indirectas tan hábil que favorecía a las estrellas entradas en años y con patas de gallo.

Haines se hizo muy amigo de Marion Davies en 1928, durante el rodaje de *Espejismos*, en la que ella encarnaba a Peggy Pepper, una valerosa muchacha que llega a Hollywood en un Ford destartalado y se enamora de Billy Boone (Haines), un joven actor cómico de la compañía de Mack Sennett. Cuidadosamente dirigido por King Vidor, Haines logró su más brillante y controlada interpretación. Es una de las pocas grandes comedias cinematográficas sobre el cine y la mejor película tanto de Marion Davis como de Haines.

Era frecuente encontrar a Haines y Jimmy en San Simeon. Hearst era tímido y un poco avinagrado con los amigos de Marion, pero el encantador Haines y el escritor Gene Fowler eran de los pocos capaces de vencer su reserva. A Haines le encantaba la mansión de Hearst y su descabellada acumulación de antigüedades de incalculable valor, animales salvajes y do-

---

mésticos y kitsch de calidad. Años después de su expulsión de la MGM, Haines le confesaría a Hearst: «Sabes, en realidad fuiste tú con tu San Simeon quien me inició en la decoración. Antes de estudiar las reliquias que tienes aquí, yo no hubiera podido distinguir un jarrón de una tetera».

Muy pocos fueron los amigos de Marion invitados al funeral de «Mama Rose» Douras, madre de la actriz, y Haines fue uno de ellos. También estuvo presente en la memorable velada de 1933 en la que, durante su única visita a los Estados Unidos, George Bernard Shaw fue recibido por Hearst.

El momento más brillante de Haines en San Simeon tuvo lugar durante una fiesta en honor de Elinor Glyn. (Ella había escrito *Tres semanas*,

La Cuadrilla de los Listos: Bob Montgomery, Noel Coward, Joan Crawford y Bill Haines

una de las primeras películas de Haines; su derecho a la fama, sin embargo, se asentaba con mayor firmeza en la invención de «Eso». Había decidido que Clara Bow era el epítome de «Eso». Inmediatamente se produjo un film llamado *It* [*Eso*], protagonizado por Clara, quien así entró en los anales del cine como la chica con «eso». Miss Glyn aparecía incluso en la película explicando de qué iba ese «eso». Lo definía como «un

Lord Peter Whimsy

La Legión Blanca se moviliza

extraño magnetismo que atrae a los dos sexos». Tener o no tener «eso» pronto se convirtió en Hollywood en una de las grandes preocupaciones.) La autosuficiente Miss Glyn se encontraba cerca de la piscina intercambiando plácemes y cumplidos, cuando de pronto se volvió hacia Haines y anunció a la concurrencia que, definitivamente, él no tenia «eso». En aquel mismo instante, Jerry, el bebé chimpancé de Hearst, que había estado escuchando el discurso de Glyn, defecó y le tiró algún mojón. Mientras intentaba frenéticamente quitarse la caca del mono de los ondulantes fulares, velos y turbantes, Haines aprovechó para señalar: «Bueno, al menos todos podemos comprobar que usted *sí* tiene "eso"».

Haines había trabado amistad con Joan Crawford (o Lucille LeSueur, como se la conocía entonces) en cuanto llegó a la MGM, en 1925. Se había ocupado de presentarle a los poderosos y de explicarle cómo debía tratarlos. Gracias a Haines, Crawford había conocido a Carey Wilson, quien la había lanzado como Miss MGM 1925 en un corto promocional para la convención anual de exhibidores. Luego actuarían juntos en cuatro películas: *Sally, Irene and Mary, Spring Fever, West Point* y *The Duke steps out*.

Una noche de 1932, Haines

La Legión Blanca: capuchas en la noche

estaba sentado junto a Franchot Tone en una cena *chez* Tallulah Bankhead. Tone contó algunas anécdotas desagradables sobre la Crawford que circulaban por la ciudad. Haines lo reconvino: «No vuelvas a decir una sola palabra sobre ella sin antes haberla conocido. Apuesto a que, si la conoces, te enamoras de ella.» Lo cierto es que se conocieron, actuaron juntos en *Vivamos hoy* y se casaron. En rea-

Franklin Panghorn y Marcel Silver, codirector del Hollywood Ballet: invitados de Haines

lidad, meses antes de casarse ya convivían en la casa de Joannie Brentwood, decorada por Haines con una combinación de muebles ingleses antiguos y modernos.

La casa de Joan se transformó en una suerte de estudio, donde la estrella podía representar a sus anchas el papel de la queridísima Mommie para mayor placer de fotógrafos y revistas de fans. El espacio más amplio, diseñado para ella por Haines, era el que Joan llamaba «mi taller» y tenía estricto carácter privado. Resplandeciente de luz, de cromo y cristal, parecía un quirófano, pero de hecho era su vestidor. Tenía mesas de masaje, un secador de pelo que desaparecía en la pared, una extensa barra circular para colgar la ropa, cómodas de vidrio y suficientes estantes como para sus doscientos pares de zapatos. Haines había creado para ella un sistema de iluminación deliberadamente cruel —esa áspera luz focal que encienden en los bares cuando quieren echar a la clientela a la hora de cerrar—, de tal manera que, si su maquillaje era correcto allí, podía seguro pasar bajo cualquier tipo de luz. Muchas de las horas íntimas más placenteras de Joan transcurrían en su «taller» donde, con ayuda

de los pequeños aportes de Haines, iba creando a Joan Crawford.

Haines solía visitar a Joan con su amante, Jimmy (para ellos, la Crawford era «Cranberry», o sea «Arándano»). No eran pocos los «tíos» que se dejaban caer por la residencia de los Brentwood, casi siempre para arrullar a Mamá. El «tío Willie» y el «tío Jimmy» sólo se arrullaban mutuamente y eran grandes favoritos de Christina Crawford. A menudo Mamá aseguraba a la niña que tío Willie y tío Jimmy formaban el matrimonio mejor avenido de la ciudad.

Tío Willie y tío Jimmy jamás olvidarían la noche de 3 de junio de 1936: no sería precisamente una noche idílica.

Los Hombres del Crepúsculo —apodo con el cual Hollywood obsequiaba a los homosexuales— llevaban una vida subterránea incluso en los estudios, donde trabajaban como actores, bailarines, diseñadores, peluqueros, modistos o maquilladores. Como en cualquier parte, los armarios trasteros eran en la industria cinematográfica una forma de sobrevivir, y los caballeros [en castellano en el original (N. del T.)] gays, perseguidos por la homofobia de la gente y las contínuas redadas de la Brigada contra el Vicio, se veían obligados a andar de puntillas por entre las farolas de Tinseltown.

Haines y su círculo de amigos habían tomado la precaución de evitar las playas más conocidas de Santa Monica y Malibu. Haines había alquilado una casa en Moonstone Street, arteria del balneario de El Porto, unos kilómetros al sur de Manhattan Beach. Siguiendo sus pasos, un grupo de amigos «perfumados» se había instalado allí para pasar el verano. Era un puñado perfectamente pacífico e inofensivo de loquitas, un microcosmos discreto pero chispeante, que nada tenía de las nutridas y babeantes comunidades gays que más tarde florecerían en Fire Island. Nadie molestaba a los niños ni seducía a los maridos del lugar. Pero, aun en los años treinta, el condado de Orange era un avispero de reaccionarios, y el balneario pequeño-burgués de El Porto era el cuartel general de la Legión Blanca, versión californiana del Ku Klux Klan. Para muchos de estos hombres enfermos de odio era evidente que en su balneario había desembarcado una numerosa cuadrilla de alienígenas emplumados y que veían como una amenaza de invasión extraterrestre.

En un momento de debilidad, durante la Pascua de aquel año, Bill Haines había teñido de púrpura su perrito, que respondía al nombre de Lord Peter Whimsy. La mascota color purpúrea era para Jimmy y Billy como el hijo que no podían traer al mundo; tan clandestino como sus amos, había sido entrenado para sentirse a gusto en la casa, de modo que, como cualquier Franklin Pangborn de cuatro patas, el extraño can «reinaba» sobre las fiestas de solteros que ofrecía la pareja. La playa de El Porto parecía ser un lugar seguro. El excéntrico animalito era visto con frecuencia corriendo por la arena, acompañado de una *troupe* de criaturas alborozadas encroquetadas de arena,

Jimmy Shields y Bill Haines declaran tras el asalto

que provocaban el asombro de las gaviotas y acabaron por llevar a la acción a los habitantes del lugar.

Aquella noche, cuando después de cenar Haines y sus amigos salían de la casa para dirigirse a sus coches de regreso a Hollywood, fueron rodeados por un grupo de hombres encapuchados con túnicas blancas, quienes les advirtieron que no regresaran. Tumbaron a golpes a Haines y a Shields y arrojaron huevos y tomates contra sus coches.

Poco después, la noche se llenaría de otras hostiles figuras blancas: una auténtica fiesta de linchamiento. ¡Desplumadlos! ¡Trituradlos! A Lord Peter lo dejaron sin sentido a golpes. Haines acabó con los dos ojos negros, con la nariz chorreando sangre y el labio superior cortado, ¡el actor, Jimmy, el perro y tres zarandeados invitados fueron arrojados dentro de sus coches. Se alejaron de la ciudad entre abucheos y amenazas. Ninguno de ellos olvidaría la pesadilla de aquella retirada de las locas de El Porto. (Durante el resto de su carrera de decorador, Haines se abstendría de emplear sábanas blancas, introduciendo para reemplazarlas los juegos de cama de color que harían célebres los dormitorios de sus clientes.)

El incidente que había precipitado aquel pandillesco ataque había sido más bien absurdo. Aquella mañana, en la playa, un niño de seis años, habitante del lugar, había simpatizado con el colorido grupo de huéspedes de Haines, había jugado con el perro y les había ido siguiendo toda la tarde. Cuando el avispado muchachito, cuyo nombre era Jimmy Walker, les siguió de vuelta a la casa, Jimmy Shields le dio seis céntimos y le dijo que volviera corriendo a la suya. La paranoia paterna fraguó con esta anécdota una acusación de abusos deshonestos, que enardeció a un centenar de lugareños y les impulsó a vestir sus túnicas de la Legión Blanca para descargar su ira sobre la fiesta de Haines. Al día siguiente los Walker llevaron al pequeño Jimmy a la policía para que declarara, pero la denuncia fue rechazada por falta de pruebas. Haines nunca volvió a la playa de El Porto.

El 22 de noviembre de 1969 el «New York Times» publicó un artículo de media página titulado: «DIPLOMÁTICO GASTA UN MILLÓN EN

Llevan a declarar al pequeño Jimmy Walker →

DAR LUSTRE A SU MANSION». El texto informaba que la recién decorada mansión del embajador de los Estados Unidos en Gran Bretaña, cuya renovación había exigido un año y costado al dueño, el magnate de la prensa de Filadelfia, Walter Annenberg, un millón de dólares, infundía ahora tal respeto que molestaba hasta usar un cenicero.

Durante toda una semana, dos veces al día, Annenberg guió en persona las visitas que periodistas de muchísimos países hicieron a la residencia. «Trabajamos como un equipo bajo el mando de Haines», decía el embajador. Annenberg y Haines se habían conocido cuando éste recibió el encargo de decorar la casa en el desierto de Annenberg, en Cathedral City, cerca de Palm Springs, obra en la que trabajó cinco años. La casa del desierto, llamada Sunnyland, había sido concebida por el decorador como «un gran solarium con orquídeas, piedra volcánica de México, suelos de mármol rosado de Portugal y habitaciones divididas por plantas».

Winfield House, la vivienda del embajador en el londinense Regent's Park, había sido donada por Barbara Hutton al gobierno norteamericano en 1946. Estaba repleta de Monets, Gauguins, Cézannes, Van Goghs, Renoirs y Toulouse-Lautrecs. La espléndida decoración de William Haines marcó el momento culminante de su brillante segunda carrera.

Haines murió de cáncer en diciembre de 1973. Legó todo su patrimonio a sus dos hermanas y a Jimmy Shields. Shields se suicidó al año siguiente. La nota que dejó escrita rezaba: «Sin Billy nada tiene sentido».

En 1937, apenas Haines hubo terminado la decoración de la espléndida casa de George Cukor, éste le ofreció una memorable fiesta de homenaje. Se dio cita allí el todo Hollywood, y todo el mundo recuerda el momento en que, ya de madrugada, John Barrymore vomitó encima de un antiguo canapé tapizado de satén.

Cukor y Haines fueron siempre amigos íntimos. Al parecer, a Cukor su homosexualidad nunca le acarreó dificultades profesionales. Aun sin ocultarse del todo, era relativamente discreto y durante toda su carrera evitó tratar el asunto, al menos con la prensa. Hacia el final de su vida, no obstante, se permitió revelar un secreto. Contó que en el rodaje de *Lo que el viento se llevó* lo habían reemplazado por Victor Fleming porque Clark Gable conocía su relación con Billy Haines y supuso que estaría al tanto de que, cuando él, Gable, era todavía un don nadie en la MGM, para trepar más rápido en su carrera, se había prestado en más de una ocasión a los servicios de Haines. Gable odiaba a Cukor por esta razón y no podía mirarlo a los ojos ni soportar la idea de acatar sus órdenes durante los largos meses de rodaje que llevaría la realización de LQEVSLL. ¡De modo que uno de los grandes cambios de timón de la historia del cine tuvo lugar en 1939 debido a dos o tres mamadas que Bill Haines —de labios, por cierto, nada perezosos— había propinado en 1925!

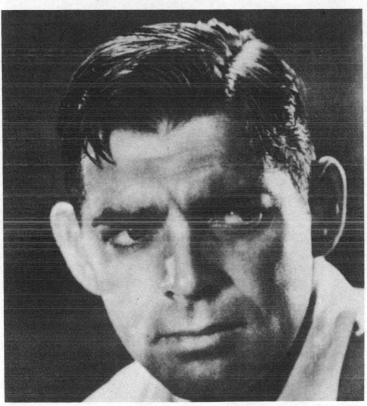

Clark Gable: secreto inconfesable

El hampa llega a Hollywood

Muy pocas de los millones de personas que anualmente contemplan las insulsas y soporíferas ceremonias de entrega de los Oscar, conocen la ignominiosa *raison d'être* de la Academia de Artes y Ciencias Cinematográficas. La Academia fue una criatura pergeñada por Louis B. Mayer, quien en 1927 la lanzó en un gigantesco banquete en el Ambassador Hotel de Los Angeles. Mayer fundó la Academia como una «unión de empresas» para combatir la legítima sindicalización de actores y directores, y para bloquear el surgimiento de asociaciones de actores. Mayer y los demás propietarios de estudios concebían la Academia como árbitro de contratos entre los estudios y las asociaciones de actores. Al haber sido creada por los estudios, bien puede imaginarse su imparcialidad en el arbitraje.

A lo largo de los 30 tuvieron lugar en Hollywood incesantes y ásperas luchas para crear organizaciones laborales legítimas. Uno de los resultados de la impopular política de los estudios fue el escandaloso asunto IATSE. En 1934, la International Alliance of Theatrical State Employees (Alianza Internacional de Trabajadores Estatales del Teatro, asociación que agrupaba a diseñadores, directores artísticos, maquilladores, escenógrafos, tramoyistas y operarios) cayó en manos de dos rufianes de Chicago. Esos dos jefazos del crimen organizado eran George Browne, nuevo presidente de la IATSE, y su socio Willie Bioff. Bioff, el más agresivo de los dos, tuvo a toda la industria cinematográfica agarrada por los cojones durante casi siete años.

Todo empezó en 1934 en la Ciudad del Viento (Chicago). Browne y Bioff, un ex macarra con el cuerpo de un levantador de pesas griego (encarcelado años antes por dirigir un burdel), querían meterse en el «negocio de los sindicatos» y poner la cadena teatral Balaban y Katz en un brete. Balaban, principal dirigente de la cadena (más tarde llegaría a ser presidente y luego jefe del consejo de la Paramount Pictures), había ofrecido a Browne, representante del sindicato, un mezquino soborno de 150 dólares semanales para que Browne olvidara cualquier convenio de aumento de sueldo de los empleados de teatro. Bioff, en representación de Browne, desechó la oferta y exigió 50.000 dólares a la vista. Balaban dijo que no. La negativa desató una serie de sabotajes en las salas de cine de la cadena de B y K: el Oriental, el Tivoli y el Uptown; los films se pasaban hacia atrás, el musical *Una noche de amor*, protagonizado por Grace Moore, fue proyectado sin sonido, la imagen se oscureció en la escena del motel de *Sucedió una noche*. Por toda la ciudad patronos en cólera clamaban por su dinero. B y K empezaron a darse cuenta del poder de Bioff. Cerraron el trato. Pocos días bastaron para que el alcohol ilegal y las rubias les soltaran las lenguas a Browne y Bioff. Su reciente independencia económica y sus juergas despertaron la curiosidad de el hampa.

Uno de los más intrigados era Frank «Prepotente» Nitti, amigote de Al Capone, sobre todo cuando descubrió que Brown y Bioff estaban a punto de dar el golpe obteniendo de Balaban y Katz una pequeña fortuna mediante la promesa de *no* convocar una huelga de proyeccionistas que habría supuesto el cierre de la mayoría de las salas de Chicago. Nitti era un organizador; de inmediato comprendió que el chantaje organizado a escala del país entero, podría poner en sus manos la totalidad de la industria cinematográfica.

Nitti envió a «Nariz de Cereza» Gioe y a otros pintorescos gorilas a la oficina de tramoyistas de la IATSE, de la que Browne era director comercial desde 1932. El mensaje a Browne y Bioff fue cla-

El sindicato bajo una nube

ro: Nitti se metía en el sindicato por la mitad del dinero de los chantajes. Para recalcar el mensaje, se redactaron dos contratos: T.E. Maloy, responsable del local 110 de los proyeccionistas, y Louis Alterie, presidente de la Unión de Porteros, aparecieron con el cuerpo trufado de plomo. El sindicato quedó pronto repartido.

El siguiente paso de Nitti consistió en proyectar a Browne a una supuesta presidencia del sindicato a escala nacional. Si esto podía hacerse en la Ciudad del Viento, podría hacerse también a mayor escala. La estrategia para manipular las elecciones en la inminente convención de la IATSE en Louisville se delineó en una serie de encuentros entre Nitti y figuras del submundo tan notorias como Paul «Camarero» Lucca, Lepke Buchalter de Asesinatos S.A. y Lucky Luciano. Luciano garantizó que los de-

Hollywood y el Hampa: demasiada intimidad para llevarse bien

legados de Nueva York apoyarían a Browne. Bioff llevó desde Chicago un escuadrón de matones para asegurarse la elección de Browne.

El nuevo presidente se apresuró a designar a Bioff delegado internacional. Bioff fue directamente a Tinseltown. A partir de entonces, Browne pasó a un segundo plano y Bioff se convirtió en el principal negociador del sindicato. Pidió a Chicago refuerzo de gorilas y matones; las asociaciones que se oponían fueron sofocadas mediante amenazas y malos tratos. Los trabajadores disidentes de los estudios fueron convencidos para unirse a la IATSE.

Se dio a entender muy pronto a los jefes de los estudios que si Bioff no obtenía lo que Bioff buscaba —dinero, y en cantidad—, la industria cinematográfica quedaría paralizada por una serie de huelgas de proyeccionistas en todo el país.

El poder de Bioff y Browne se extendió de costa a costa, hasta el punto de que el mismo Nick Schenck, presidente de la Loew's Inc., que controlaba la MGM desde Nueva York, pronto les hizo una visita. Bioff exigió 2.000.000 de dólares, o algo así. Schenck mantuvo una apresurada conferencia telefónica con Sidney Kent, presidente de la 20th Century Fox. Decidieron formar un frente común contra los gangsters. Les pareció claro a los dos que, cuando Bioff amenazaba de huelga hasta el último estudio de Hollywood, no lo hacía de la boca para afuera. Al día siguiente, Kent y Schenck visitaron a Bioff en su habitación del Warwick Hotel. Schenck llevaba 50.000 dólares en efectivo en una bolsa de papel marrón; y Kent, 25.000.

Desde la cumbre de su poder, Bioff llegó a tratar a los jefazos de los estudios como a botones de oficina. En cierta ocasión, cuando el portero de la Warner le impidió pasar sin credenciales, Bioff telefoneó a Jack Warner y le ordenó que bajara personalmente a buscarlo. En otra, cuando Bioff se negó a negociar con la Paramount, el jefe de estudio Ernst Lubitsch se vio obligado a hacerle una visita.

Bioff, además, obligó a los estudios a nombrarlo «agente» suyo para la compra de celuloide virgen. Jules Brulator, distribuidor de la Eastman en Hollywood, tuvo que aceptar la extorsión si no quería que una bomba estallara en sus almacenes. Bioff recibió una comisión de 7 % sobre todo el material comprado por la MGM, la Fox y la Warner. De este modo el sindicato se hacía con unos 150.000 dólares anuales.

A cambio de mantener congelados los salarios de los miembros de la IATSE, Bioff se alzaba con jugosos sobornos. Llegó a recaudar millón y medio de dólares al año. Estas sumas se repartían con el sindicato.

El principio del fin sobrevino para Bioff cuando sacó de sus casillas al irritable y escrupuloso editor del «Daily Variety», el viejo Arthur Ungar. Ungar no pudo ser sobornado ni con dinero ni con amenazas. Muy pronto empezó una campaña contra la excrescencia de Chicago.

Encontró un aliado en Robert Montgomery, presidente del Gremio de Actores de Cine, a quien alarmaban los intentos de Bioff por hacerse con el control del GAC. Montgomery contrató a un detective privado para que hurgara en el pasado de Bioff, desenterró pruebas de su condena por proxenetismo y ofreció el material a Ungar para que lo publicara en el «Daily Variety».

Las campañas de Ungar y Montgomery empezaron a tener eco. Westbrook Pegler, columnista de Hearst y rastreador de escándalos, se unió a ellos y escribió varios artícu-

«Acabando con las bandas»: historias reales como la vida misma los donde despellejaba al dirigente de la IATSE. La gota que colmó el vaso llegó cuando el gobierno federal, que había estado esperando una oportunidad para intervenir, fue alertado por los inspectores de hacienda que Joseph M. Schenck había extendido a Bioff un cheque por valor de 100.000 dólares. Schenck, presidente del consejo de la 20th Century Fox y presidente de la Asociación de Productores Cinematográficos, alegó —y más tarde declaró bajo juramento— que había entregado el dinero a Bioff en concepto de préstamo. Cuando salieron a la luz las circunstancias reales de ese pago, Schenck (productor de la mayoría de las grandes películas mudas de Buster Keaton) fue procesado por perjurio y condenado a un año de prisión. Lo privaron de la ciudadanía norteamericana. (No obstante, por contribuir habitualmente a las campañas del Partido Demócrata, Schenck, en seguida recibiría el indulto del presidente Truman; se le devolvió la ciudadanía y volvió a la Fox en calidad de productor ejecutivo.)

Escarmentados, los jefes de estudios fueron confesando uno a uno cómo habían manipulado sus libros de contabilidad para ocultar los sobornos que entregaban al distinguido «delegado internacional» de la IATSE. El 23 de mayo de 1941, ante el tribunal federal de Nueva York, Bioff y Browne fueron acusados de extorsionar sustanciosas sumas a la Fox, la Warner Bros., la Paramount y la MGM. Bioff fue sentenciado a diez años; Browne a ocho.

Bioff fue enviado a Alcatraz y no pudo contener la lengua. Dio los nombres de siete facinerosos de Chicago que lo habían ayudado a tambalear toda la industria cinematográfica. Uno de los siete era Frank Nitti, ex colaborador de Al Capone. El día en que se formularon públicamente los cargos, Nitti se pegó un tiro en la cabeza junto a los raíles de un andén de carga de los suburbios de Chicago.

Una vez cumplida su condenada, Bioff se estableció en Phoenix, Arizona, con el nombre de Willie Nelson, inversor de valores. El 4 de noviembre de 1955 tenía la intención de visitar la oficina de Phoenix para vigilar sus valores. Subió al coche, hizo girar la llave y voló por los aires. Nunca se descubrió quién había colocado la bomba y, si se descubrió, nunca se reveló.

Puede obtenerse una idea general de lo que fue ese sórdido asunto rastreando en una reunión de Productores y Distribuidores Cinematográficos de América, convocada para discutir un acuerdo con Bioff. Cuentan que en esa ocasión Samuel Goldwyn, príncipe de los despropósitos de Hollywood, profirió su más inefable ocurrencia: «Caballeros», dijo poniéndose el sombrero, «considérenme metido fuera [*include me out*]».

Bioff y su abogado durante un descanso del juicio

Curvas peligrosas

Busby Berkeley fue el indiscutido Genio Número Uno del musical de Hollywood. Es el único director de Hollywood cuyo nombre figura en un diccionario. Tenía la imaginación más audaz de la historia de Tinseltown. Antes de que apareciera en el mundo del cine, los musicales eran comedias teatrales filmadas. Berkeley eliminó el arco del escenario. Colocaba su cámara en el techo —a veces más allá del techo— y luego la bajaba con una grúa hasta dejarla a cinco centímetros del ojo de una hermosa muchacha. Mucho más que rutinarios números de baile y canciones, sus creaciones acabaron con el tiempo y el espacio. Hizo fantasías musicales surrealistas, voyerísticas, eróticas y oníricas que hacían brillar los ojos y excitar los ánimos de medio mundo. Durante la Depresión salvó a la Warner Brothers de la quiebra y convirtió en arte la geometría de las piernas femeninas. Y, con todo, ese gran hombre de original talento también era un niñito de su mamá con algo de monstruo. Neurótico y alcohólico, mató a tres personas con su automóvil deportivo y más tarde se cortó la garganta y las muñecas en un sangriento intento de suicidio.

Aunque se casó cinco veces (una de ellas con Merna Kennedy, la protagonista de *El circo*, de Charles Chaplin; puede vérsela también en *Wonder Bar* del propio Buzz), la Gran Dama de su vida fue Gertrude Berkeley, su mamá. Buzz y su mamá se querían más que Hamlet y *su* Gertrude. La madre había sido una actriz de teatro y de cine que durante muchos años compartió el cartel con una íntima amiga suya, la legendaria lesbiana Alla Nazimova, que trabajó con Stanislavski.

← *Busby Berkeley*

111

Buzz debutó como actor, niño aún, en una producción de *Casa de muñecas* en la que su madre secundaba a la Nazimova. En 1914, se graduó en la academia militar de Mohegan Lake; durante la primera guerra mundial, dirigió ensayos de desfiles militares en Francia. Esta experiencia influenciaría sus hazañas de Hollywood, en las que presidía verdaderos ejércitos de ventiladas coristas, combinando la destreza del coreógrafo con la del instructor militar.

En 1923, Berkeley se anotaría el primer éxito teatral junto a Irene Dunne en el papel de «Madame Lucy», un afeminado diseñador de modas, en la comedia musical *Irene*. En los años veinte se daría a conocer como uno de los directores de baile más importantes de Broadway. El hombre que se convertiría más tarde en el mayor coreógrafo de la historia del cine carecía de toda formación coreográfica.

En 1930, Samuel Goldwyn lo llevó a Hollywood para dirigir los números de baile de la versión cinematográfica de *Whoopee*, protagonizada por Eddie Cantor y producida por Flo Ziegfeld. Entre las primeras chicas que Buzz escogió para la película se encontraban Betty Grable, Virginia Bruce y Claire Dodd. (B.B. tenía ojo para el talento femenino; fue también él quien ofreció los primeros papeles importantes a Veronica Lake, Paulette Goddard y Lucille Ball.) En *Escándalos romanos*, realizada para

Berkeley y sus chicas

112

Goldwyn en 1933, urdió un lascivo número de Servidumbre Humana con chicas completamente desnudas: sólo llevaban largas cadenas y pelucas rubias que les caían hasta las nalgas.

Cuando Darryl Zanuck le pidió a Buzz que creara las secuencias musicales de *La calle 42* para la Warner, el estudio se encontraba en números rojos. El triunfo de *La calle 42*, hito en la historia del cine, fue tal que salvó al estudio de la bancarrota. Buzz fue catapultado hacia la fama y la gloria, cosechando éxito tras éxito, y su carrera alcanzó las más altas cotas. (No dirigiría un film completo —trama y números musicales— hasta *Melodías de Broadway 1935*; más tarde, realizó algunas películas no musicales, siendo la mejor *They made me a criminal*. De todos modos, es indiscutiblemente el *auteur* de todos los films cuyos números de baile concibió él. Nadie va a ver *Flying high* porque la haya dirigido Charles Reisner, ni *Música y mujeres* porque le interese el argumento.)

En todos esos años de gloria, Getrude fue para Buzz su mentora y su consuelo. Berkeley instaló a su madre, rodeada de majestuoso esplendor, en una mansión de Beverly Hills donde pudiera desarrollar su vieja manía de coleccionar objetos y muebles antiguos.

En sus números de baile quedan patentes su atracción por la violencia y su ambigua actitud con las mujeres. En *La calle 42* hay una muerte a tiros y un apuñalamiento en medio de enormes despliegues coreográficos. En su obra maestra —la que prefería entre todas sus coreografías—, «Lullaby of Broadway» *Melodías de Broadway 1935*, la heroína, Wini Shaw, cae de un rascacielos gritando mientras se precipita dando vueltas hacia la muerte. En la escena del tango de *Wonder Bar*, Dolores del Río apuñala a Ricardo Cortez. Y en una perversa secuencia de *Small town girl* Ann Miller baila entre varias docenas de brazos masculinos sin cuerpo. Es obvio que escenas como éstas tenían más que ver con sus propias fantasías que con los argumentos de los films.

En la cumbre de su éxito, la violencia y la tragedia invadieron su vida real. El 8 de septiembre de 1935 Buzz asistió a una fiesta ofrecida por William Koenig, jefe de producción de la Warner, para celebrar el final del rodaje de *Por unos ojos negros*. Para cuando abandonó la fiesta, había ya tomado una copa de más.

El sonido del claqué →

Además del alcohol, andaba muy agotado (ese año había trabajado en cinco películas, y los hermanos Warner eran patronos inflexibles). Iba a toda velocidad por la oscura y serpenteante Pacific Coast Highway, rumbo a Santa Mónica Canyon, cuando perdió el control del descapotable blanco y se pasó al carril de dirección contraria. Avanzando ya a contradirección, embistió primero a un coche y luego se estrelló contra otro. Tres de los ocupantes del segundo automóvil murieron: William von Brieson, su madre Ada von Brieson y su cuñada Dorothy Daley.

Buzz fue acusado de asesinato en segundo grado. A los Warner esto les preocupaba menos que el hecho de que su director de mayor éxito estuviera metido en un imparable programa de rodajes: tres films uno tras otro, dos de los cuales íntegramente dirigidos por él. Como debía compare-

Busby en su adorada grúa

Berkeley ante el tribunal: testimonio horizontal →

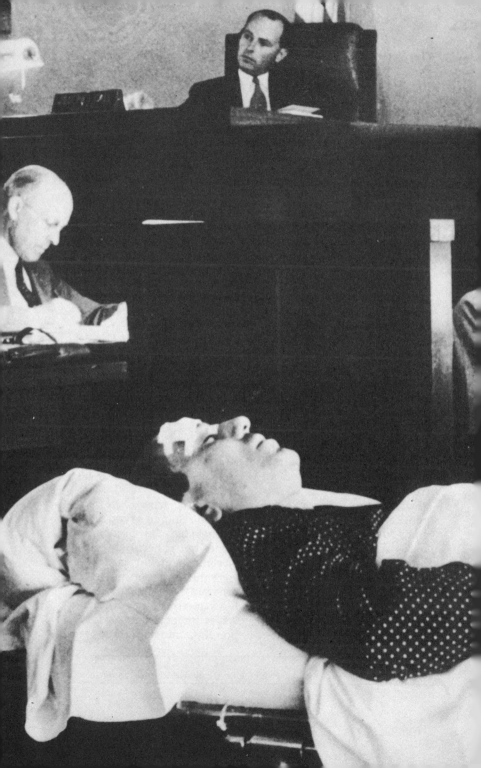

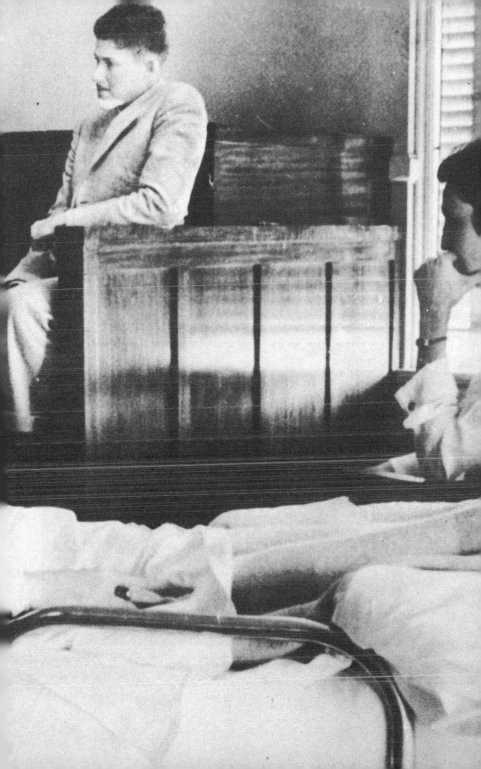

cer ante el tribunal durante el día, el estudio cambiaba los horarios de trabajo para que rodara de noche, a pesar de las lesiones en la cabeza y las piernas a consecuencia del accidente. Al diablo con el ojo hinchado y la salud mental de Buzz.

El reo fue conducido a la sala de audiencias en camilla. Para defender a su director estrella, los Warner contrataron a Jerry Geisler. Geisler, el «abogado de las estrellas» (defendió a Chaplin, Errol Flynn, Robert Mitchum y Pantages), se las ingenió para confundir al jurado exhibiendo el neumático delantero izquierdo del coche de Buzz, pinchado: sostuvo que ésa había sido la causa del accidente. Personalidades presentes en la fiesta de Koenig —Frank McHugh, Pat O'Brien, Glenda Farrell, Mervyn Leroy (todos ellos bajo contrato con la Warner)— declararon que Buzz no estaba borracho en el momento de abandonar la reunión. En el primer juicio el jurado no pudo llegar a decisión alguna. El segundo terminó con un resultado de siete votos contra cinco a favor del descargo. En septiembre de

Busby, con su madre Gertrude y su abogado Geisler en la sala de sesiones
Buzz ensayando con Mickey Rooney →

118

1936 tuvo lugar un tercer juicio y esta vez Geisler consiguió la absolución de su cliente.

Durante estos juicios y tribulaciones, Buzz fue incubando una crisis nerviosa. Se pasaba las noches fabricando delirios cinematográficos —una secuencia con Dick Powell de *Stage Struck* lo entretenía hasta la madrugada—, y a las nueve de la mañana se presentaba ante el tribunal acusado de asesinato. Más tarde comentaría: «Es cierto que me declararon inocente, pero verme envuelto en la muerte de tres personas fue una experiencia deprimente y perturbadora. Tuve suerte de tener tanto trabajo, probablemente eso salvó mi salud mental».

Tiempo después Berkeley anduvo implicado en un alboroto surgido en torno a los favores de la respingona y sexy rubia Carole Landis. Se habían conocido cuando él la seleccionó para el coro de *Varsity show*, concediéndole como a tantas otras la primera gran oportunidad en el cine. Más tarde movió los hilos para que le hicieran un contrato. En 1938, el marido de Landis, Irving Wheeler, demandó a Buzz por un cuarto de millón de dólares aduciendo que le había arrebatado el amor de Carole. El caso pasó a los tribunales. (En cuanto al amor de Carole, no era muy difícil arrebatárselo. Más adelante, en la Fox, la conocerían como «la puta del estudio»: era la visitante más asidua del dormitorio trasero de la oficina de Darryl Zanuck, donde «despachaba» con el gran cacique, quien se tiraba allí a alguna de sus empleadas todas las tardes laborables, a las cuatro.)

La madre de Buzz murió de cáncer en junio de 1946, después de una larga y costosa agonía. Su amada «Reina Gertrude», ella, que había sido el pilar de su fortaleza. La crisis que le acechaba eternamente por fin hizo presa de Buzz. Bebía como un condenado; su carrera tambaleaba; acababa de divorciarse una vez más. En 1943, había dirigido uno de sus films más notables, *Toda la banda está aquí*, un musical delirante y desaforadamente imaginativo con Carmen Miranda. A continuación había hecho el regular *Cinderella Jones*.

En el momento en que murió su madre, hacía dos años que no dirigía una película. Aceptó la oferta de montar un musical en Broadway, *Glad to see you*, protagonizado por Lupe Vélez. Pero la mala suerte no remitía: el show

nunca llegó a representarse en Broadway. Tras recibir algunas noticias negativas, terminó su andadura en Filadelfia.

Buzz se cortó el cuello y las muñecas pocas semanas después de la muerte de Gertrude. Su criado japonés, Frankie Honda, lo encontró caído en los mosaicos del baño en medio de un charco de sangre. Frankie rompió una sábana y vendó a su patrón. Una de las cosas que Buzz dijo cuando se recobraba en la clínica fue: «Soy historia pasada y lo sé. No me veo capaz por mucho más tiempo. Cada vez que me caso todo parece salir mal. Estoy acabado. Cuando murió mi madre, todo pareció acabar con ella».

Más tarde sería admitido en la sección psiquiátrica del Hospital General de Los Angeles. He aquí la descripción que hizo de aquel laberinto:

«Era una pesadilla. Me arrojaron allí con criaturas mugrientas, balbuceantes, harapientas. Había tan poco espacio que tuvieron que poner mi colchón en el pasillo, donde esos seres espantosos pasaban día y noche por encima de mí. Comprendí que, si no estaba loco, no tardaría en estarlo».

En ese lugar vivió seis semanas. Entró allí pesando 68 kilos y salió con sólo 42. Lo primero que descubrió fue que todo su capital ascendía a 650 dólares. En 1948, su antiguo jefe, Jack Warner, lo contrató para supervisar los números musicales de Doris Day en *Romanza en alta mar*. Fue un lento retorno, sobre todo porque su peor enemigo seguía siendo la botella. En 1949 convenció a Arthur Freed de que le permitiera dirigir una vez más para la MGM. El resultado sería la deliciosa *Take me out to the*

«Vals de la sombra» número de Vampiresas 1933

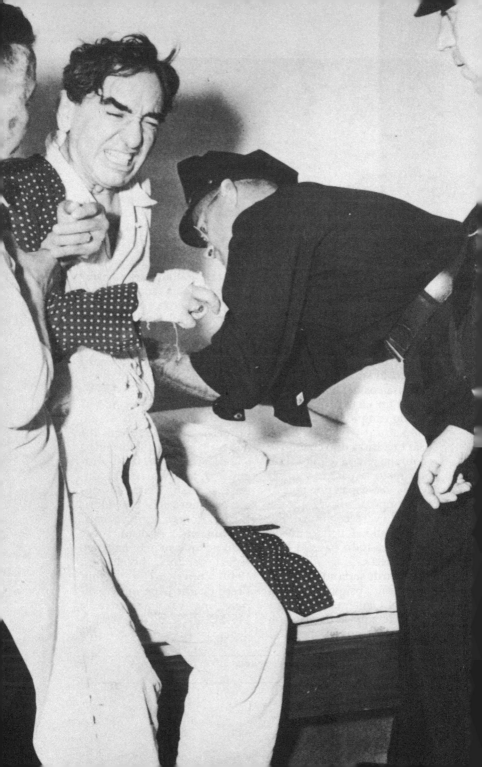

ball game, protagonizada por Frank Sinatra y Gene Kelly. Buzz no había perdido ni un ápice de su habilidad como director. Sin embargo, aquél fue su último film como director; trabajó en ocho películas más, pero limitándose a crear y dirigir los números musicales. Algunos de éstos se cuentan entre los mejores que hizo: los ballets acuáticos de *Escuela de sirenas* y *Easy to love*, la demencial escena del totem en *Rose Marie* y la danza aérea de los trapecios en *Jumbo*.

Jumbo, realizada en 1962, fue la última película en la que trabajó Buzz. Moriría en 1976. No obstante, los últimos años de su vida, no estarían ensombrecidos por el olvido. Grandes retrospectivas de su obra se exhibieron en la Cinemateca Francesa de París y en el Centro Cultural de Nueva York. Se publicaron varios libros sobre sus films. Era constantemente entrevistado y varias universidades lo solicitaron como conferenciante; la televisión había familiarizado con su trabajo a toda una nueva generación. Pasó a ser una entrada en los diccionarios de *slang*. Un Busby Berkeley ya es, por supuesto, un número musical extremadamente elaborado.

La resurrección de Buzz

Hilera de piernas para Footlight parade
← *Busby reducido tras intentar suicidarse*

llegó a su apogeo en 1970, cuando los productores de una moderna versión de la comedia *No No Nannette* lo contrataron como jefe de producción del espectáculo, protagonizado por Ruby Keeler, estrella de varios de sus mejores films en la Warner en los años treinta. A los setenta y cinco años, pues, volvía al espectáculo seleccionando a coristas: observando a 350 pares de piernas entre las que debía elegir una fila de coro de 22. El espectáculo fue un gran éxito. La noche del estreno de *No No Nannette*, el 19 de enero de 1971, Busby Berkeley recibió una vez más la calurosa ovación de un público puesto en pie.

Maniobras militares: Berkeley diagrama la acción de su ballet acuático ← *En la piscina*

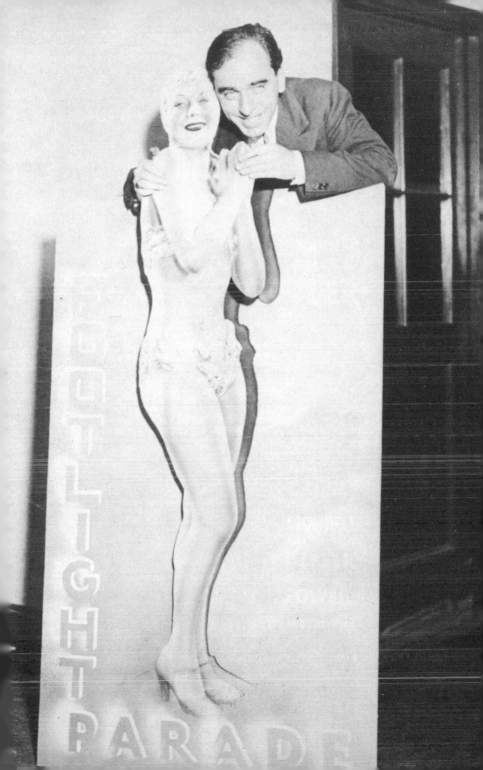

Las dos caras de Tinseltown

«*Fíjese*. Uno de los lados de mi rostro es suave y amable, incapaz de cualquier otra cosa que no sea el amor al prójimo. El otro lado, el otro perfil, es cruel, destructivo y malvado, capaz tan sólo de lascivia y oscuras pasiones. Todo depende del lado de mi rostro que mire usted, o *la cámara*. Todo depende de cuál de los dos mira la luna cuando sube la marea.»

Estas sorprendentes palabras fueron las que empleó una vez Lionel Atwill para describirle a un entrevistador el asombroso rostro del propio Lionel Atwill. Alfa y omega de lo angelical y lo demoníaco, aquel rostro era un don divino para un actor que dio vida en la pantalla a cierto caballero suave, educado e inefablemente siniestro: Mister Lucifer. Traten de oír esas palabras acariciadas por la meliflua, barítona voz de órgano inglés de Atwill, una voz que, apoyándose en una impecable dicción, podía hablar alto y bajo de cosas realmente terribles en tonos matizados de estudiadas entonaciones. Escúchenla otra vez, e intenten oír la autoritaria voz de barítono que más tarde, en la vida real, en 1941, mentiría como un caballero en el banquillo de los testigos: «No soy culpable, Señoría».

¿Culpable de qué? ¿De ser perfecto señor de sus dominios, un anfitrión exquisito? ¿O de organizar fiestas desaforadas, en las que se proyectaban películas porno, y contribuir a la corrupción de una adolescente de Minnesota embarazada que retozaba con célebres invitados sobre una piel de tigre? No. ¡Sin duda no, aquel distinguido caballero inglés que había actuado junto a las grandes damas de la escena en obras de Ibsen, Shaw y Shakespeare, y cuyo impresionante porte y portentosa voz —de incalculable valor durante los inicios del so-

noro— le habían procurado un excelente contrato en el Hollywood de los primeros años treinta! No aquel hombre culto, que se enorgullecía de su colección de obras de arte y que, con el dinero de cada film, adquiría a algún gran maestro: después de *Dr. X, The lady with a shawl* de Sir Henry Raeburn; después de *Los crímenes del Museo de Cera*, un retrato de Lawrence; y buena parte de lo que ganó con *Murders in the Zoo* fue destinado a adquirir un Gilbert Stuart.

Atwill provenía de una acomodada familia de Croydon que hubiera querido que estudiara arquitectura. En lugar de ello se dedicó a las tablas y se había embarcado en una exitosa carrera de joven prota-gonista en los teatros del West End londinense, cuando, en 1915, la legendaria Lillie Langtry (el ídolo de Eduardo VII y del juez Roy Bean) le convenció para que la acompañara en una gira por los Estados Unidos. Una vez terminada la gira, desempeñó el papel de protagonista en el montaje neoyorquino de *The lodger* (basada en la historia de Jack el Destripador), actuó junto a Billie Burke (la esposa de Ziegfeld) y fue elegido por la Nazimova para coprotagonizar con ella tres obras de Ibsen. Trabajó para David Belasco, actuó junto a Katharine Cornell y encabezó con Helen Hayes el reparto de *César y Cleopatra*. En *Another man's shoes* encarnó a un individuo con doble personalidad.

Principiante en Broadway: Atwill con Fanny Brice y Leon Errol

En 1928, Atwill y un grupo de detectives irrumpieron en un apartamento del 59 de la calle 68 Oeste en Nueva York y descubrieron juntos a Mrs Atwill (la actriz Elsie McKay) y el *protégé de él*, Max Montesole. El actor pidió el divorcio y poco después se casó con Louise Cromwell, heredera de la fortuna de los Stotesbury de Filadelfia, que acababa de divorciarse a su vez del futuro general Douglas MacArthur.

En 1931, Atwill recorrió el país con *The silent witness*; cuando la obra terminó su temporada en Los Angeles, protagonizó la adaptación cinematográfica, su primer trabajo en Hollywood. Interpretaba el papel de un hombre que comete perjurio ante un tribunal. Extraña premonición de lo que le ocurriría en la vida real.

Su siguiente película fue una de las obras de terror más extrañas de los años treinta. En 1931, la Universal había hecho una fortuna con *Drácula* y *Frankestein*. Entonces, como ahora, las películas de terror causaban sensación en los períodos de crisis. Aunque la Depresión asfixiara a las masas, decenas de miles de norteamericanos preferían a una comida, asustarse con los monstruos imaginarios que por unas horas les ayudaban a olvidar los problemas económicos. La Warner lanzó a Atwill en la insuperable *Dr X* (1932). Esta obra singular inscribió de una vez por todas al actor en la historia del celuloide. Con peculiar agudeza, el historiador cinematográfico William Everson describiría los ojos de Atwill brillando «como neones satánicos» en *Dr. X*. El film tiene detalles para todos los gustos: canibalismo, descuartizamiento, violación y necrofilia, con la picante propina de la erótica excitación de Atwill al ver cómo Preston Foster se desenrosca el brazo artificial.

Al año siguiente, Atwill volvió a mostrarse devastador interpretando para la Warner al desfigurado escultor de *Los crímenes del Museo de Cera*, dirigida, como *Dr. X*, por Michael Curtiz y con decorados de Anton Grot. Estos expertos europeos conspiraron para dar al film una apropiadamente sórdida y sugerente atmósfera de expresionismo alemán. Lo rodaron en un suculento pero contenido Technicolor de dos colores, y la memorable escena cumbre ocurría cuando, Fay Wray, la Gran Aulladora de los años treinta (ese mismo año había tenido que vérselas con King Kong), golpeaba el rostro de

Atwill para huir de él y, desgarrando la máscara, revelaba la chamuscada faz del monstruo oculto.

A esas alturas Atwill se había convertido en la quintaesencia del científico demente del cine de Hollywood. En el personaje del chiflado doctor Von Niemann, en *El vampiro* (1933), le ofrecería a Fay Wray otra ocasión de gritar y, ese mismo año, en *Murders in the Zoo*, encarnaría a un hombre que se sirve de animales para matar a los supuestos amantes de su esposa. (La primera escena lo muestra cosiendo los labios de una víctima, en medio de la jungla, para dejarla a merced de las fieras.) Atwill no sólo hizo gran parte de los diálogos de sus personajes psicóticos, sino que su escalofriante voz añadía matices de depravación que los guionistas jamás hubieran podido soñar.

Mr. A. hizo de loco en *The sun never sets, Man made monster* y *The mad doctor of Market Street*, y lo hizo hasta su último largometraje completo, *Genius at work*, en 1946, en el cual da vida a un notorio asesino apodado El Cobra.

Si bien la demencia científica era su producto de mayor venta, y durante años engrosó con esos papeles su cuenta bancaria, Atwill también era capaz de llevar a cabo soberbias actuaciones en papeles que poco tenían que ver con sus personajes lunáticos. Fue el caso de *The devil is a woman*, de Von Sternberg, basada en la novela de Pierre Louÿs, *La mujer y el pelele*. Atwill encarna en ella a Don Pascual, un oficial del ejército a quien su relación con Concha (Marlene Dietrich) precipita en la debacle emocional y la ruina; en su papel de masoquista, que consiguió hacer simpático a los ojos del público, ostentaba un misterioso parecido físico con Von Sternberg, mentor de Marlene en la vida real. Asimismo, en

Atwill: el Médico Loco de Hollywood

132

El hijo de Frankestein, por una vez del buen lado de la ley, convirtió al comisario Krogh, a quien el monstruo había arrancado un brazo de cuajo, en un personaje inolvidable. Los masturbatorios jugueteos con su prótesis que Krogh practica durante toda la película —hasta el momento álgido en que el monstruo le arranca también el brazo artificial— prefiguran extrañamente al Dr. Strangelove de Stanley Kubrick.

El dinero obtenido con el miedo que infundía en el público pronto permitieron a Atwill comprarse una espléndida, confortable, espaciosa y adecuadamente protegida mansión de estilo Colonial Español en la opulenta y conservadora comunidad de Pacific Palisades, entre Malibu y Santa Monica, donde iglesias metodistas fruncían el ceño ante los sorprendentes chalets anglonormandos, las sofisticadas casas de Estilo Internacional y las escuelas primarias coronadas de torres moriscas. Fue un compatriota, el apuesto director y dandy James Whale (*Frankenstein, La novia de Frankestein y Es-*

Atwill coprotagonista con Marlene Dietrich en The devil is a woman

tigma liberador, en la cual Atwill interpretó al abogado de un marido sádico que quería divorciarse de una mujer sumisa) quien encontró aquella casa para él. Whale ya residía en un cercano palacio del Pacific Palisades. El hobby de Whale fuera de los estudios —perseguir y desnudar a jovencitos— llegaría a poner en embarazoso trance a algún miembro de los Boy Scouts locales; pero la piedra del escándalo habría de caer primero sobre Atwill.

En apariencia, su matrimonio con Louise Cromwell era feliz y equilibrado. Ella llegó provista de las mejores credenciales de la buena sociedad. Los Atwill entraron con buen pie en las esferas exclusivas de Tinseltown y eran invitados habituales en casa de Hearst y Marion Davies. El hermano de Louise fue pronto nombrado embajador en Canadá. La propia Mrs. Atwill era descendiente directa de Oliver Cromwell por su padre, Oliver Eaton Cromwell, fallecido en 1909. La madre de Louise, Eva Cromwell, dirigió su interés hacia uno de los hombres más ricos de los Estados Unidos, y lo cazó: Edward Stotesbury, financiero internacional y socio de J.P. Morgan. (Aunque en su vida había leído un libro, gracias a los auspicios del marchand Duveen, adquirió una de las más importantes colecciones de obras de arte de los Estados Unidos.)

Para Eva Cromwell y sus hijos, Stotesbury hizo construir Whitemarsh Hall, el palacete más imponente jamás alzado en la vieja Filadelfia. Eva supervisó en persona el proyecto y la construcción de Brooklands, la inmensa mansión georgiana que, a modo de «regalito», Stotesbury edificó en Maryland para Louise. (Más tarde, al casarse con MacArthur, Louise la rebautizaría con el nombre de Rainbow Hill.) Henrietta Louise Brooks Cromwell MacArthur Atwill era una mujer de múltiples facetas: una de ellas estaba obviamente interesada en la gente de alcurnia.

El apetito sexual de los Atwill es lo que les había unido; la causa de la primera riña seria en su Edén doméstico fue una serpiente. A Lionel le excitaba lo exótico, las emociones peligrosas. Entre película y película su pasatiempo favorito —no compartido por Louise— era el de presenciar en Los Angeles juicios por asesinato. Durante el rodaje de *Murders in the Zoo* se encaprichó de una compañera de trabajo: Elsie, una ondulante pitón de cinco metros entre-

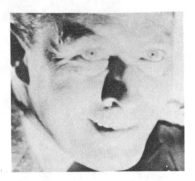

nada para el cine, sin hogar, y que amaba a los seres humanos. Louise etc., que no se había negado a la eventual incorporación de una doncella o un chofer al lecho conyugal, prohibió la entrada a Elsie. Cuando cinco metros de potenciales costosos zapatos de serpiente diseñados por I. Miller entraron en la casa, Mrs. Atwill amenazó con irse.

«Todas las mujeres aman al hombre que temen», confesó epigramáticamente Atwill a un entrevistador. «Todas las mujeres besan la mano que las somete... Yo no soy de los que tratan a las mujeres con dulzura. Las mujeres son como los gatos. Lo que desean es un sillón mullido junto al fuego, delicadas fuentes de nata, ocio perfumado... ¡y un *Amo*!»

En 1939, la gatita de Lionel Atwill se hartó de las fuentes de nata de su amo. Se fue de casa para siempre y pidió la

Encarnando al comisario del brazo artificial en El hijo de Frankenstein
Atwill en Munders in the Zoo

separación alegando que su marido era un hombre de «carácter amargo». Se trasladó a Washington D.C., donde no tardaría en atraer a sus propios fans como conductora de un popular programa radiofónico de sátira política, titulado «Las cenas de Mrs. Atwill», en el que se ensañaba con las más altas figuras del gobierno.

Pero volvamos a d'Este Drive. Abandonado con su solitaria líbido en la espaciosa finca, en compañía de su amante-pitón Elsie, de media

docena de dobermans entrenados para la cama y de un locuaz guacamayo llamado Cópula, durante la semana el guardián de zoológico Lionel Atwill mantenía la rígida disciplina laboral inherente a toda pieza del engranaje de un estudio. Pero, los sábados y domingos, se tomaba con creces la revancha.

En el abrasador invernáculo de Hollywood, en la imaginación erótica de Atwill habían germinado floridas fantasías que ahora podían realizarse. Al igual que Rodolfo Valentino, tras separarse de *su* fata morgana, Natacha Rambova, se dedicó a escenificar orgías para distraerse de la soledad que iba apoderándose de él en Falcon Lair. El solitario científico de-

Atwill y Kathleen Burke en Murders in the Zoo
← *Atwill y amigas, incluida Rita Hayworth*

138

mente de la pantalla podía ahora emplear su casa como escenario de libidinosas fiestas de fin de semana. Entre los más conocidos habitantes de Tinseltown que regularmente acudían a desmelenarse en las *partouzes* de Atwill, estaban los directores Eddie Goulding y Joe Von Sternberg, y el actor Victor Jory.

El público cinematográfico al principio de los años cuarenta, secretamente lascivo e hipócritamente envidioso porque jamás había sido invitado a uno de los festines de Hollywood, pronto aprendió, gracias a una avalancha de titulares sensacionalistas, que una pareja monógama copulando en postura canónica no era la panacea sexual. Apenas estalló el escándalo Atwill, los periódicos evocaron las orgías de la antigua Roma y la Arabia de las 1001 noches, en las cuales los «paganos» parecían entregarse a toda suerte de festejos carnales. Los titulares de todo el país se hicieron eco de los cargos formulados en un tribunal de Los Angeles: Lionel Atwill era el equivalente erótico del maestro Leopoldo Stokowski; dirigía, no un batallón de dotados instrumentistas y conmovedoras sinfonías, sino que bajo su batuta se organizaban excéntricos, estetizantes y artísticos grupos humanos entregados a saturnalias.

Al igual que para la inmortal Mae, el sexo era para Lionel un hobby absorbente. Su criterio en la preparación de la lista de invitados que podían cruzar las puertas de su fortaleza de roble y hierro forjado era extremamente rígido: no sólo había que poseer un buen cuerpo y cierta resistencia, sino un gusto especial, refinado, por el ritual, el teatro y los caprichos sexuales, componentes esenciales de las fantasías de toda auténtica imaginación erótica de envergadura. Atwill llegó al extremo de exigir que sus invitados se sometieron a revisiones higiénicas como precaución contra las enfermedades venéreas. Las reuniones en Casa Atwill nunca generaron esa clase de escándalos que habrían podido provocar grietas en las líneas de coristas de Busby Berkeley. Sin embargo, al final ocurrió algo mucho peor: dos tías se fueron de la lengua. En cierta ocasión, el místico inglés Aleister Crowley señaló: «¡Es inevitable que en toda reunión de trece personas alguien resulte ser Judas!». Veintiséis invitados asistieron a la memorable fiesta que Atwill ofreció en la navidad de 1940, y la observación de Crowley se volvió fatalmente cierta: dos Judas con faldas hicieron lo posible para arrastrar por los pelos a su anfitrión hasta la cima del Gólgota.

Un infausto día a principios de diciembre de 1940, un sujeto llamado Carpenter, algo jugador, algo vendedor de coches usados, algo macarra a destajo y conocido de Atwill, llegó en su automóvil a la palaciega mansión del actor en el 13.515 de Este Drive, al filo de Santa Monica Canyon, justo cuando éste acababa una partida de tenis. Carpenter iba acompañado de Virginia López, una diseñadora de modas de La Habana, y de su «protegida» Sylvia, una rolliza rubita de dieciséis años criada con cereales en Hibbing, Minnesota, quien había abandonado a un padre masajista para ir a Hollywood con la esperanza de hacer una brillante carrera en la pantalla. Las dos mujeres vivían juntas en los Apartamentos Lido. Virginia era una chantajista que había amadrinado ya a muchas jóvenes antes de Sylvia, entrenándolas a todas en el delicado arte de exprimir a ciertos caballeros. Sylvia todavía no había conseguido ningún papel, pero había descubierto pocos días antes que de algún modo estaba embarazada y no tenía la más remota idea de si el padre era Tom, Dick o Harry.

Más tarde, durante el juicio, Virginia le diría al tribunal que, al volver ella y Sylvia a d'Este Drive con Carpenter, habían sido presentadas a Eugene Frenke, marido de Anna Sten. (Sten, conocida en Hollywood como «Goldwyn's Folly», «la locura de Goldwyn», era una actriz rusa que a comienzos de los treinta Samuel Goldwyn había traído a los Estados Unidos en un intento de crear una estrella propia que rivalizara con la Garbo o la Dietrich. Sus películas fracasaron en las taquillas y Goldwyn le rescindió el contrato.) Frenke había producido obras épicas de tan breve memoria como *Miss Robinson Crusoe* y *La mujer de la máscara de hierro*. Atwill les había conocido cuando coprotagonizó con la Sten la primera película de ésta para Goldwyn, *Nana*. El admiraba a la actriz, pero por mucho que en ese film encarnara a una prostituta, le pareció que en la vida real era un poco puritana. En cambio, su marido solía frecuentar solo la casa de Atwill. Virginia declararía que, en su segunda visita a la mansión, ella y Atwill habían espiado por la ventana a Sylvia y Frenke, solazándose

en alegre abandono en una *chaise longue*. Según ella, estaban desnudos, pero obviamente no tomaban el sol.

A los pocos días, con ocasión de la fiesta de Navidad ofrecida en 1940 por Atwill, ella volvió a Este Drive con Sylvia y una despampanante peluquera llamada Laverne Lolito. El año que estaba por terminar había estado conmovido por distantes pero sostenidos tambores de guerra, y

Norteamérica se aprestaba a entrar en una nueva década bajo el signo del miedo y la incertidumbre. Pero, paradójicamente, esa *angst* salpicaba los llanos y las colinas de Hollywood con chispas de excitación. La desagradable realidad es que para mucha gente la guerra es un afrodisíaco. Norteamérica se hallaba bajo el influjo de Marte. Todo podía ocurrir, los sentidos percibían peligros inminentes, hasta el cielo podía caer. Incluso en la bien soleada California, la gente se sentía repentinamente amenazada. En algún lugar acechaban los japoneses ...o a lo mejor los marcianos, cortesía ésta de la versión radiofónica que hizo Orson Welles de *La guerra de los mundos*.

En la fiesta de Atwill no había japoneses ni marcianos, pero sí un inverosímil adorno navideño que recibía a los invitados en el umbral: en el tejado de la casa había un desproporcionado trineo. El científico demente había decidido que era hora de ponerse alegres. Engalanado con el disfraz de Santa Claus, Atwill exhibía un espléndido humor; sus expresivos ojos brillaban, su barba platino-Harlow resplandecía. Gracias a una concesión de la sección vestuario

Los crímenes del Museo de Cera: *culto a la pulcritud*

142

del estudio, el cuello del traje de terciopelo rojo era de auténtico armiño. Atwill había concebido la velada en el espíritu de los antiguos ritos precristianos de la natividad, una fiesta de la fertilidad para saciar a Jack Frost y celebrar el solsticio de invierno con adecuada exhuberancia. Lo había programado todo hasta el último detalle: tras la cena, el café y el coñac, una señal daría inicio a la orgía. El detonante sería un acorde, en el gran piano de cola de Alec Templeton (el pianista ciego con el cual se contaba por no poder ver pecado alguno) con el que empezaría «El Danubio azul». Más de un cuarto de siglo antes de que la acariciante melodía de Strauss se fundiera con las deslizantes imágenes

Virginia López y Sylvia: escándalo en la farándula

143

rotatorias de una estación espacial en *2001* de Kubrick, esa misma música acompañaba el *ballet d'hiver* cuidadosamente urdido por Lionel Atwill.

No bien el Steinway dejó oír los primeros compases de Strauss, la barba de Santa Claus desapareció, como una máscara en *Iván el Terrible*. ¡Hop!, cayó el cojín que hacía de barriga de Santa Claus mientras desaparecían los smokings, los trajes de noche de Adrian, los calzoncillos de Sulka y la ropa interior de Antoinette. El reglamento de la casa obligaba a dejarse puestas las joyas: ¡aquella noche las pulseras de brillantes decorarían más de una espalda con hermosos rasguños! El show de Lionel Atwill hubiera merecido equipararse a las escenas censuradas a *La viuda alegre* de Von Stroheim. Ninguno de los presentes olvidaría aquella noche, aunque algunos tendrían buenos motivos para arrepentirse.

La fiesta de Navidad en Pacific Palisades pasaría a ser un caso judicial a raíz de un pleito cuyo lugar de origen no fue California, sino una pequeña ciudad llamada Hibbing, en Minnesota. El día en que Sylvia fue por primera vez a Este Drive ya estaba embarazada. Algunas semanas

más tarde, a comienzos de 1941, su estado era ya manifiesto y ella no tenía ni un céntimo «para cuidarse a sí misma». Escribió a su casa pidiendo a sus padres una considerable cantidad de dinero; su padre, el masajista, sospechó algo y fue a ver a la policía local, que se puso en contacto con la de Hollywood. Recogieron a Sylvia en los Apartamentos Lido y la metieron en Juvenile Hall, un reformatorio para jóvenes. Virginia llamó enseguida a Atwill, Frenke y Carpenter para informarles de que Sylvia estaba en manos de la ley y que se armaría la gorda si se iba de la lengua. Aunque nadie podía haber acusado a Atwill de ser responsable del estado de Syl-

Eugene Frenke

144

via, él se portó como un caballero y les dijo a sus amigos que estaba dispuesto a dar a las mujeres todo el dinero que pidiesen. Frenke temía que cualquier escándalo publicitario en torno a él echase a perder la carrera de su esposa (aunque los días de gloria de Anna Sten hubieran ya pasado hacía tiempo).

De poco sirvieron las conspiraciones de los juerguistas: el mecanismo judicial ya se había puesto en marcha. A partir de entonces todo fue, más o menos, un sálvese quien pueda. Jadeante, Virginia relató al gran jurado que durante la fiesta Atwill había sacado su proyector de 16 mm y que, mientras se desarrollaba la orgía sobre la piel de tigre, habían proyectado dos películas: *El fontanero y la chica* y *La cadena primorosa*. Atwill negó que hubiera tocado a cualquiera de las dos mujeres, y negó también haber proyectado películas cochinas. «La verdad», dijo bajo juramento, «es que no tengo películas de ésas. Los únicos films que suelo pasarles a mis invitados son documentales de viajes y cortos relacionados con la vida doméstica en distintos lugares». Añadió que su alfombra era de piel de oso y no de tigre. Carpenter confirmó que las fiestas *chez* At-

will eran «limpias y ordenadas». Virginia no le produjo al jurado una impresión demasiado favorable. En cambio, le cayeron bien tanto la digna compostura de Atwill como su reputación personal y profesional. El jurado decidió que aquello era una tormenta en un vaso de agua: Atwill fue absuelto. *Virginia* fue detenida, bajo el cargo de violación técnica por corromper a su joven *protégée*. La condenaron a un año de prisión, pero no tardó en obtener la libertad condicional. A Sylvia la despacharon a Minnesota, donde tuvo su hijo sin que volviera a saberse de ella nunca más.

Convencido de haber salido del pozo, Atwill suspiró aliviado. Un año después, caía una vez más, pero entonces en algo mucho peor.

Carpenter, víctima de una mala racha, fracasaba una temporada a la sombra por saldar deudas con cheques sin fondos. En la cárcel se volvió vindicativo y decidió que él había sido quien había salvado a Atwill y que, ahora que necesitaba ayuda para salir de allí, nadie le echaba una mano. Escribió al gran jurado diciendo que estaba dispuesto a contar la verdad sobre la fiesta de Navidad. Carpenter le entregó al fiscal una lista completa de los asistentes y

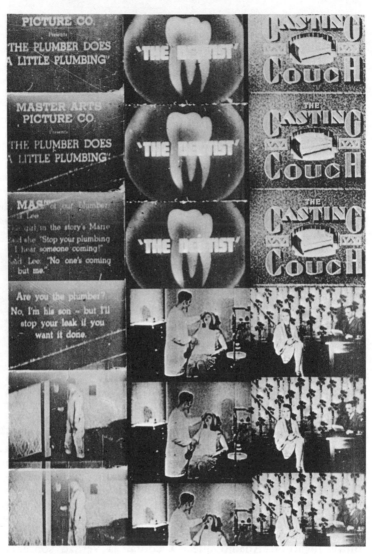

corroboró la historia que un año antes había contado Virginia, añadiendo detalles picantes acerca de la orgía y las películas.

Atwill fue nuevamente citado y, por consejo de su abogado, se acogió al derecho de silencio para evitar hacer declaraciones que pudieran comprometerle. El estatuto de limitaciones se había agotado con la antigua acusación de contribuir a la corrupción de Sylvia. Sin embargo, podían aún condenarlo por perjurio. Aterrado como una víctima de las películas de Lionel Atwill, éste fue a ver a Isaac Pacht, juez y abogado bien conocido en el mundo del cine, quien le aconsejó fervientemente que dijera la verdad. Cuando se enfrentó por segunda vez con el jurado, de pronto recordó que alguna vez había tenido unos pocos films pornos. Los había alquilado para entretener a un amigo suyo que era oficial de la Policía Montada del Canadá. Según admitió, el jinete había sido invitado a su casa y se habían proyectado esas películas durante una fiesta organizada, pero él mismo no las había visto nunca. Si en alguna ocasión alguien las había proyectado en su casa, habría sido sin que él lo supiera; probablemente había estado fuera, jugando al tenis. Negó toda conducta inapropiada en su casa y añadió que estaba siendo objeto de un intento de difamación. El jurado de 1942 no se dejó convencer: dictó un auto de procesamiento por delito de perjurio ante el jurado de 1941.

El 12 de agosto, Atwill sería objeto de un nuevo proceso por perjurio, acusado de haber mentido durante dos años consecutivos. El juicio fue fijado para septiembre. Abierta la sesión, el actor aceptó que «había mentido como lo hacen los caballeros, para salvar la reputación de sus amigos», y el juez le permitió cambiar el alegato de inocencia por otro de culpabilidad parcial en la acusación de perjurio: admitió que había proyectado dos películas porno para sus amigos. Basándose en esa admisión de perjurio, la acusación añadió cargos referentes a las orgías en la alfombra de piel de tigre (o de oso). Pese a que le habría podido caer una condena de uno a catorce años de prisión por perjurio, el actor recurrió a la libertad condicional y lo soltaron. Al acceder a retirar la denuncia por orgía, el fiscal tuvo que reconocer que, si el caso hubiera ido a los tribunales como estaba previsto, la acusación sólo podría aportar como testigos a individuos con antecedentes penales: Carpenter y Virginia López.

El 15 de octubre de 1942, Atwill fue sentenciado a cinco años en libertad vigilada. Es-

caso y decidió: «Si bien este tribunal no perdona violación alguna de la ley, se ve obligada a tener en cuenta las circunstancias del caso. La persona que interpuso esta queja contra Lionel Atwill no actuaba guiada por un sincero deseo de justicia y, por mi parte, estoy convencido de que la justicia ha cumplido ya su fines». Exoneró a Atwill de todos los cargos con estas palabras: «Desde ahora, Mr. Atwill, se encuentra usted en situación de decir sinceramente que no ha sido un convicto por felonía». Atwill, con los ojos llenos de lágrimas, dio las gracias al juez y abandonó precipitadamente la sala en medio de una tormenta de flashes.

taba obligado a realizar visitas semanales a los aguerridos muchachos de la hollywoodense Brigada contra el Vicio, y someterse a una norma que impone registros de control por parte de un oficial de vigilancia que fácilmente hubiese podido ser el doble de Jack Dempsey. Más problemática aún era la tácita ley de la Oficina Hays y de los estudios por la que la industria cinematográfica rehusaba dar trabajo a personas en libertad condicional. Después de siete meses inactivo, Atwill apeló para que le revocaran la pena.

El juez McKay, responsable de la sentencia, examinó el

Louise acabó por obtener el divorcio en junio de 1943 y, aunque ya tenía una gran fortuna propia, recibió considerables bienes a modo de indemnización. Instalada en Washington durante las escandalosas desventuras de su esposo en los tribunales, había recibido una tonelada de cartas llenas de odio, escritas por potenciales linchadores, incluyendo a varias madres de personajes famosos, en las cuales se le sugería que una mujer que era capaz de dejar a MacArthur para entenderse con un maniático sexual de Hollywood tenía el deber pa-

Atwill en el Tribunal: como Pedro por su casa

triótico de infligirse el hara-kiri. Louise rehusó la propuesta y comentó ante sus amigos de Washington que, si alguna vez se le ocurría revelar todo lo que sabía sobre el general MacArthur y sobre Atwill, algunas personas se verían «más sacudidas que Alaska durante el terremoto». Finalmente prevaleció la cuna y, al menos en público, Louise mantuvo cerrada su aristocrática boca.

Atwill ya no se sentía como en su casa en Hollywood. La ciudad, enclavada en una polvorienta región de sequías, habitada sobre todo por colonos y nómadas del Medio Oeste era, y en más de un sentido lo sigue siendo, un Kansas de la moralidad. El actor fue exonerado a los ojos de la justicia, pero a los ojos de Tinseltown pasó a ser un científico demente *non grato*. Se fue a Nueva York en busca de trabajo en Broadway. No tuvo ofertas. Cuando regresó a Hollywood, si bien no lo boicotearon oficialmente, ninguno de los grandes estudios volvió a darle nunca un papel importante. La Universal se dignó a concederle cortas apariciones en un par de largometrajes y algunas series. Fue entonces cuando Lionel Atwill, que había actuado en varios de los mejores y más prestigiosos films de Hollywood en la década de los treinta, que había sido dirigido por los directores más talentosos —Frank Borzage, Michael Curtiz, Rouben Mamoulian, Tod Browning, James Whale, Henry Hathaway, Allan Dwan y Josef Von Sternberg—, que había trabajado con toda una galaxia de estrellas —Irene Dunne, Marlene Dietrich, Myrna Loy, Claude Rains, Lionel Barrymore, Spencer Tracy, Rosalind Russell, Errol Flynn, Olivia de Havilland, Dolores del Rio y Margaret Sullavan—, tuvo que conformarse con un empleo en el estudio más miserable de la Cadena de la Pobreza: la Producers Releasing Corporation. Allí, junto a artistas como Marcia Mae Jones, Douglas Fowley y Sharon Douglas, trabajó bajo la dirección de Steve Sekely y Terry Morse. En la PRC, cuyo director era el indómito ex contable Leon Fromkess, Atwill quedó relegado a películas «rápidas» que se rodaban en cinco días. Repetir una toma se consideraba extravagante. Cuando trabajaba en una serie llamada *Lost city of the jungle* murió repentinamente de pulmonía. Las escenas que faltaban las completó un doble.

«Mediodedo»

William Tatem Tilden II, más conocido como Big Bill Tilden, era la figura absoluta del tenis norteamericano allá por la segunda década del siglo XX. Hollywood lo mandó llamar. Provisto de sus raquetas, Tilden vino corriendo y protagonizó varias películas mudas del estilo Buen Chico Estudiante Virginal a la Americana. En los años treinta pasó a ser rostro habitual de los documentales deportivos de la Universal e hizo de comentarista para algunos films de la British Lion.

Aunque en la pista fuera una fiera, Big Bill era de una timidez tan enfermiza, tan patológica (el embrujo de Mamá) que jamás se atrevía a desnudarse en el vestuario ni en la ducha. No solía siquiera bañarse después de un partido movido. Su tufo era legendario: el fétido olor a cabra que desprendían los sobacos de Tilden bastaba para provocar el desvanecimiento de una chica a quince metros de distancia. Si alguna vez tuvo un amigo íntimo éste jamás se lo dijo.

Su madre, Selina, se empeñó en afeminarlo. Hasta los dieciocho años lo llamó «June». Creció intocado por hombres o mujeres. El desvelo y la ruina de Bill eran los niños.

Tilden fingía perseguir a algunas de las estrellas más cotizadas de Hollywood. En la pista se rodeaba siempre de una corte de rozagantes recogepelotas, impúberesganímedes de pantaloncitos cortos blancos. Cierto observador astuto de Wimbledon señaló: «Es como si Tilden llevara un *harem* de recogepelotas». El observador en cuestión era Vladimir Nabokov, quien años más tarde convertiría a Tilden en Ned Litam, instructor de tenis de Lolita en la ya clásica novela de infantil coquetería heterosexual.

Tilden era la celebridad

agasajada en las pistas de Hollywood durante los años veinte: jugó con Valentino, Louise Brooks, Clara Bow, Ramón Novarro y Chaplin.

Tenía veintinueve años cuando una uña infectada lo condujo a una operación durante la cual hubo que amputarle la punta del dedo mayor. No por eso dejó de jugar bien, pero se ganó un nuevo apodo: de «Maloliente» pasó a ser «Mediodedo».

Como suele ocurrir con las amputaciones, la parte que

Bill y Ben Alexander: compañeros en la pantalla y en las pistas

faltaba —el trozo del dedo de Tilden cortado—, pasó a ser objeto de erotización.

La vida sexual de Big Bill estaba en sus dedos: los histéricos estallidos emocionales de su mamá lo habían dejado impotente. Cuando al cabo de muchos años de paidofília furtiva finalmente cayó sobre él la garra de la ley —el 23 de noviembre de 1946—, la policía de Beverly Hills lo acusó de «hacer mimos». Lo que los polis habían visto por la ventanilla del coche de Tilden aparcado era la paja que éste le administraba a un complaciente niño. Algo después Tilden declararía: «Conocí en la pista a un chico que se mostraba insólitamente dispues-

Tilden y Jack Dempsey, ídolos del deporte

to. No sé muy bien cómo, nos liamos en una relación tonta e infantil. Una tarde, al volver a casa después de haber visto *La cadena invisible* en el Wiltern, empezamos a jugar a caballitos...»

El chico tan bien dispuesto resultó ser hijo de un célebre productor de la 20th Century Fox. Cuando la poli depositó a Junior en la mansión familiar de Beverly Hills e informó a papá que lo habían pillado en el coche de Big Bill con los pantalones a media pierna, papá le pegó una paliza de campeonato en su habitación atestada de trofeos. (Años más tarde, en una escena calcada de *King's row*, Junior se vengaría abofeteando el cadáver de su padre en su estudio de Forest Lawn.)

Por jugar a caballitos con Junior, Tilden fue recluido ocho meses en una «granja de honor» donde, fregando la ropa y sirviendo la comida a sus compañeros presos, volvió a ser «June» otra vez.

Después volvieron a soltarlo a esas calles de Beverly Hills atestadas de polis rastreadores. Un día, los atentos ojos de la ley, oteando con prismáticos Zeiss, lo siguieron, merodeando cerca de un colegio a la espera de que salieran los niños. Esperaron que Tilden abordara a la presa. El importunado menor de Camden Drive identificó a Big Bill por su medio dedo: «¡Esa es la bestia de cuatro dedos que quiso jugar con mis partes!».

Esta vez el castigo fue la cárcel. Después del primer arresto, el campeón que había jugado con cuatro presidentes de los Estados Unidos, que había compartido partidas dobles con Errol Flynn, Chaplin y Spencer Tracy y había frecuentado en las pistas de Tallulah Bankhead a Katherine Hepburn y Greta Garbo, descubrió que sus amigos fingían no conocerlo. Tras el segundo encierro, se quedó totalmente solo. No tenía ni un centavo: su dinero se le había ido en inacabables gastos legales. Los únicos dólares que le quedaban se fundieron en 1940 en una inversión en la reposición teatral de *Drácula* y en la que desempeñó el papel principal, con el que se identificaba.

El 5 de junio de 1953 sufrió un infarto. Lo encontraron en su modesto apartamento en una sórdida calle secundaria, en la cama, totalmente vestido y con unos pocos dólares en el bolsillo. A Big Bill se le paró el corazón, murió de un infarto abandonado por los poderosos de la tierra. El cadáver fue trasladado a Filadelfia donde lo enterraron a los pies de su madre.

Tilden, a los pies de Mamá

La bruja Joan

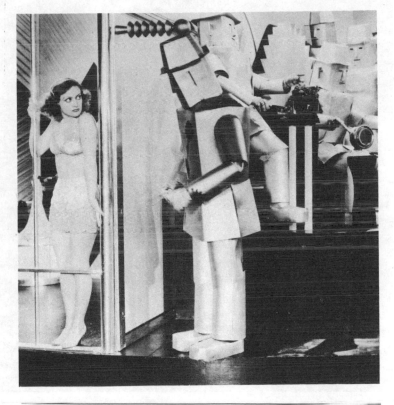

← *Joan Crawford, Miss Halloween 1925*

Cortejada por un robot

Joan maquillada de mulata

«Modelo artística» semidesnuda

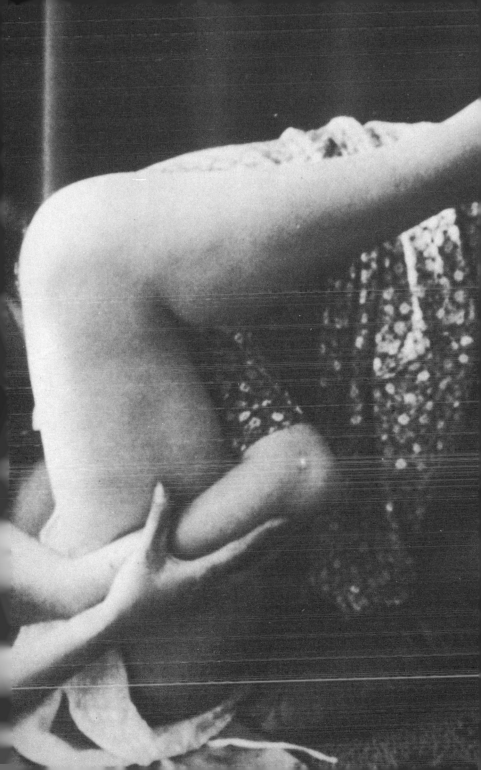

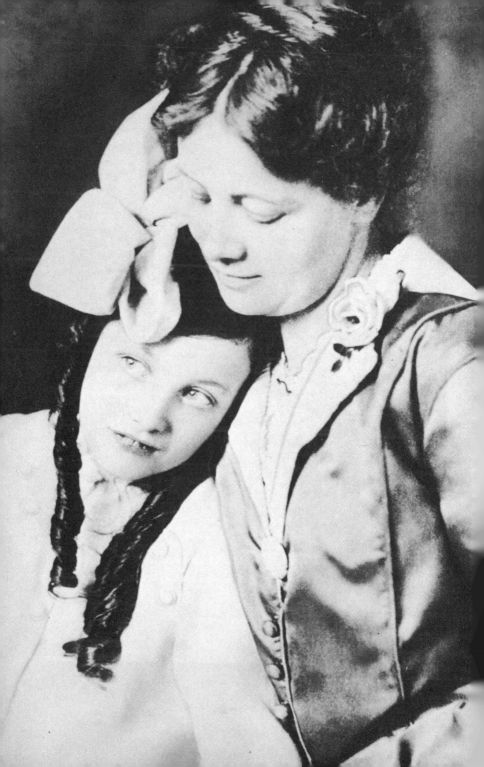

Hijos adoptivos de Joan: Christopher, las «gemelas» consentidas y Christina
← *Mamá y la preferida de Mamá*

"RC tastes best!"

says JOAN CRAWFORD
star of "HUMORESQUE," a Warner Bros. Picture

I took the famous taste-test
and picked Royal Crown Cola
best-tasting of them all!

Try it! Say "RC for me!"
It's the quick way to get a
quick-up with Royal Crown
Cola – best by taste-test!

Joan Crawford

RC is the quick way to say...
ROYAL CROWN COLA
Best by taste-test

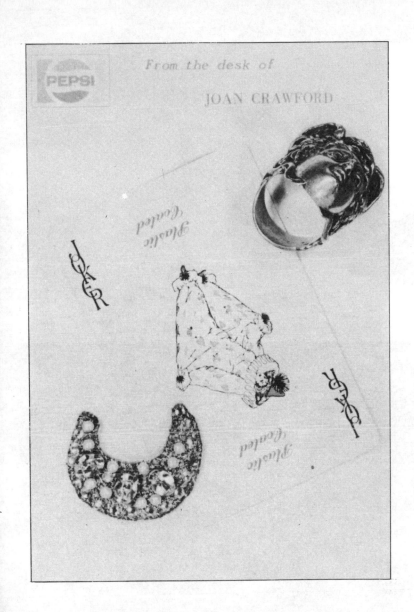

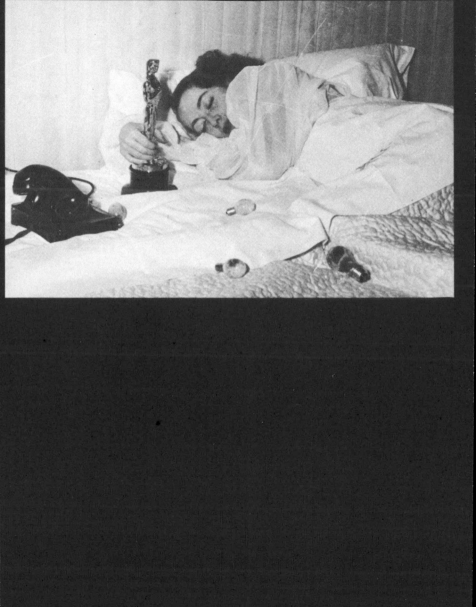

Pesadilla para una flor nocturna

«¡Mira, mami!»

La niñita señalaba un gran maniquí partido en dos, producto de una broma pesada. Yacía a pocos metros en un solar vacío.

Mami se acercó para mirar mejor. No era un maniquí roto. Dejó escapar un alarido ensordecedor que su hija no podrá jamás olvidar. La niña a quien su madre acompañaba al colegio en una soleada mañana del sur de California, el 15 de enero de 1947, a las 7.30, acababa de tropezar con un espectáculo de Grand Guignol que provocaría para siempre en la madre y en la niña continuas pesadillas.

Los dos trozos, expuestos a los viandantes como por obra de un vendedor ambulante, eran partes del cuerpo des-

Mensaje de un asesino

← *Elizabeth Short, la «Dalia Negra»*

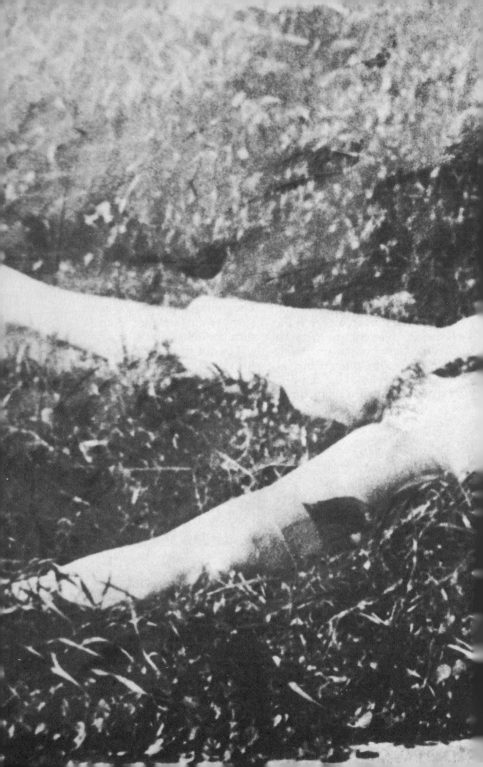

nudo de una joven. La habían seccionado limpiamente por la cintura. Bertoldo y Bertoldino. Los pechos lacerados estaban sembrados de quemaduras de cigarrillo. La boca había sido cortada en las comisuras en una horripilante sonrisa. La cabeza de la víctima había sido aporreada hasta hacerla irreconocible, pero eso no era lo peor. Había mutilaciones por todo el cuerpo, la más extraña era una profunda muesca triangular en el muslo izquierdo. El muslo había llevado antes el ornamento de un tatuaje. La autopsia reveló la tajada de carne allí donde estaba el tatuaje, oculto en lo más hondo de su anatomía. Marcas de ligaduras en las muñecas y la blanquísima piel de los tobillos indicaban que la muchacha había permanecido fuertemente maniatada durante una sesión de tortura, por lo menos durante tres días.

La intersección de la Spoth Norton Avenue con la calle 39, en la zona de Crenshaw, al suroeste de Los Angeles, no tardó en llenarse de policías, periodistas y curiosos: había nacido el caso de la Dalia Negra.

El ama de casa que había encontrado el cadáver aseguró luego haber visto pasar el faro de un coche que había acele-rado al oír su grito. Dijo no recordar ningún detalle del coche.

En Washington identificaron las huellas dactilares de la víctima. Se las habían tomado una vez, durante la II Guerra Mundial, cuando trabajaba en la cantina de Camp Cooke, California. Las investigaciones en el cuartel condujeron al paradero de su madre: Cambridge, Massachusetts. Poco a poco iba emergiendo la historia de la víctima.

Nombre: Elisabeth Short. Edad: 22 años. Altura: 1,65 m. Peso: 48 kg. Raza: caucasiana. Sexo: femenino. Descripción: pelo negro, ojos azules. Rasgos distintivos: una rosa tatuada en el muslo izquierdo.

Creció en Hyde Park, Massachusetts, sufrió una infancia acomodada como muchas otras y a los dieciocho años se largó a Hollywood, la Tierra de la Leche y de la Miel. No tardó mucho en caer en la prostitución. Aparte de su carnicero, el último en verla con vida fue el portero del hotel Biltmore, en la noche del 10 de enero de 1947, a las 22 horas, cuando la vio alejarse por la Olive Street, en dirección al sur, vestida con un sweater y pantalones negros.

Pero, ¿quién era realmente Dalia? Más tarde se supo que

el apodo de la víctima se debía a su lustroso cabello negro, que solía caerle sobre la frente en ondulante copete, y a la costumbre de vestirse con jerseys y pantalones negros. No obstante, cuando se descubrió el cadáver, tenía el pelo *rojo*. Lo habían teñido con henné (aunque ella jamás lo había empleado) y se lo habían lavado con shampú y peinado con esmero. Muerta, era la Mujer Escarlata. La maniática meticulosidad de todo ello era escalofriante. Habían desangrado los restos hasta la última gota y los habían lavado en el mejor estilo *kosher* [proceso a que, prescriptivamente, los matarifes judíos someten la carne de la vaca. (N. del T.)]. Era obvio que el asesino deseaba dejar de sí una última imagen imborrable.

El informe del comisario fue lacónico. Calculaba que la víctima había sido torturada durante unas setenta y dos horas que probablemente terminaron con una metódica vivisección. Una vez drenada la sangre, habían limpiado los trozos, lavado, teñido y peinado el cabello y, por fin, depositado las dos mitades de Elisabeth Short en el cruce de la calle 39 con la avenida Norton.

El hallazgo del cadáver puso en movimiento la mayor redada que recuerda el Depar-

Fotos policiales

tamento de Policía de Los Angeles en la historia de la ciudad. Doscientos cincuenta oficiales mantuvieron entrevistas puerta a puerta en los alrededores del lugar en que se encontró el cuerpo. Falsas pistas y falsas confesiones lanzaron a los polis a un buen número de locas persecuciones sin objeto.

Hollywood está plagada de célebres y extrañas historias de sexo y asesinatos. Cuarenta años después, el caso de la Dalia Negra sigue siendo el más escalofriante de los crímenes de Tinseltown. La conexión de la Dalia con la industria del cine fue tangencial, a lo sumo la historia de un sueño irrealizado. Como miles de otras muchachas, había llegado allí para «entrar en el cine». Su historia pertenece a

la Tierra de las Sombras de Los Angeles, una zona de penumbra frecuentada hasta hoy por el misterio de su muerte.

El asesinato de esa hermosa prostituta, a la que pusieron «fuera de combate» de modo tan horrible en 1947, estimuló a más de una mente enferma. Desde entonces, en los últimos años, más de medio centenar de hombres y no pocas lesbianas han «confesado» haber cometido vivisecciones.

En *Confesiones verdaderas*, un film basado en la novela homónima de Gregory Dunne, que recuerda vagamente el caso, el asesino queda encubierto por el policía Robert Duvall. En la realidad, nunca se llegó a saber quién había asesinado a la Dalia Negra.

El cinéfilo Bob Chatterton, amigo de Elizabeth

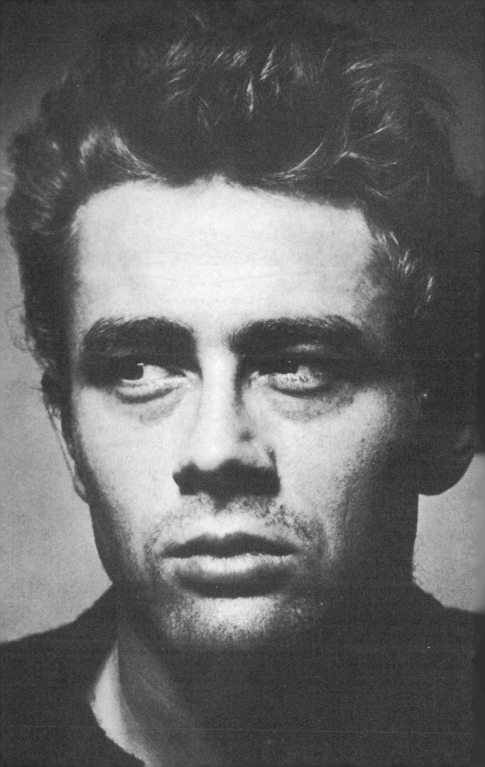

El problema con Jimmy

Durante el rodaje de *Rebelde sin causa*, James Dean fue el anfitrión de una próspera colonia de ladillas. Cogió las criaturitas en una juerga nocturna. Natalie Wood, Sal Mineo y Nick Adams habían observado que su ensimismado compañero de trabajo aprovechaba las pausas para rascarse; pensaron que en realidad imitaba la grosera manera de restregarse de su desaliñado ídolo, Marlon Brando. El director Nicholas Ray, perplejo ante la poca familiaridad de su estrella con tales modales, lo arrastró hasta una farmacia de Burbanle y le hizo tomar un frasco de un corrosivo ladillicida.

A Dean le dio por dejarse caer por el Club, un bar de Hollywood Este muy concurrido por amantes del cuero. Depredatorio animal nocturno, en busca de sexo anónimo, acababa de descubrir el mundo mágico del sadomasoquismo. Se había metido en el mundo de los azotes, las botas, las correas y las escenas de humillación. Los habituales del Club le habían colgado un apodo singular: Cenicero Humano. Cuando estaba «colocado», era capaz de desnudarse el pecho y rogar a sus

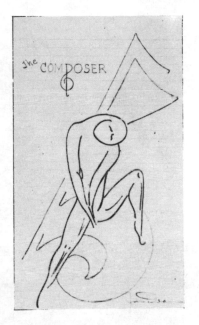

Garabatos escolares

← *La cara oculta de James Dean*

amo que se lo pisotearan con sus botas. El perito que examinó el cadáver de Jimmy después de su fatal accidente señaló que tenía «una constelación de cicatrices» en el torso. Dean había evitado servir en Corea enfrentándose con la junta de reclutamiento: informó a la Unidad de Servicio Selectivo de Fairmount que era homosexual. Cuando Hedda Hopper le preguntó cómo había hecho para eludir el ejército, Jimmy le contestó: «Le di un beso al médico».

Poco después de llegar a Hollywood, Dean había tomado el mismo camino que otros aspirantes a actores: se había ido a vivir con un hombre mayor que él. Su protector era el director de TV Rogers Brackett, que vivía en el elegante Sunset Plaza Drive. Las revistas de fans hablaban de una relación padre-hijo. De ser así, rozaba el incesto.

En el período inmediatamente anterior a su muerte, Dean contaba con enormes posibilidades de ganarse una silla en la cima del mundo. *Al este del Edén*, recién estrenada, causaba sensación. Dean tenía veinticuatro años. *Rebelde sin causa* y *Gigante* habían concluido; ninguna de las dos se había estrenado, pero era evidente, por el

J.D. y Nick Ray: consejos paternales

← *J.D. con Natalie Wood en* Rebelde sin causa

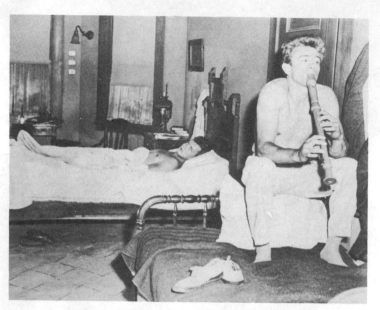

preestreno de la primera, que serían un éxito rotundo. Le esperaba una brillante carrera. ¿O no? Dean era retraído, compulsivamente promiscuo, pero sin amigos, suspicaz, vo-

luble, insolidario, rudo y grosero. De vez en cuando podía ser encantador; la mayoría de las veces era un necio insoportable. Delataba una personalidad psicópata con períodos de abatimiento que alternaban con otros de violenta exaltación. El clásico maníaco-depresivo. No era lo que se dice Mr. Buen Chico, y, sin embargo, su imagen cinematográfica tocaba alguna fibra en hombres y mujeres, jóvenes y no tan jóvenes.

Por poca que fuera su experiencia en el teatro o en el cine, se consideraba autorizado a ordenar cambios en el guión y las encuadraturas de

Escultura en recuerdo de Dean
← *Marlon Brando alienta a su admirador Jimmy*
Escena de alcoba en Al este el Edén

la cámara. Cuando no tomaban en cuenta sus sugerencias se ponía hecho una fiera. Los directores le hacían bromas y cuando él les daba la espalda lo maldecían. Su necesidad infantil de llamar la atención era la comidilla de Hollywood. Se presentaba a reuniones de gala vestido con tejanos y camiseta; durante una cena con Elia Kazan, Tony Perkins y Karl Malden esperó a que llegaran los filetes para tirar el suyo por la ventana. Escupía a los retratos de Bogart, Cagney y Muni que adornaban las paredes de la sala de recepción de la Warner. En el Chasen's llamaba a los camareros aporreando la mesa y haciendo sonar la vajilla.

Escondía el dinero en el colchón y dormía en el suelo en casa de sus conocidos; olvidaba los ensayos y se pasaba la noche en blanco antes de los rodajes. Poco antes de morir le costaba memorizar los diálogos. Confundía los diálogos y fumaba marihuana en el plató. Los pocos periodistas que consiguieron entrevistarlo salieron consternados. El actor balbuceaba irrelevancias, o bien permanecía mudo e inmóvil, mirando al visitante sin siquiera parpadear.

La víspera del accidente había asistido a una fiesta gay en Malibu, que terminó a gritos con un ex amante que lo acusaba de salir con mujeres sólo para complacer a la prensa. El 30 de septiembre de 1955 puso su Porsche plateado a 150 kilómetros por hora en la autopista 41 que pasa por Chalome, cerca de Paso Robles. Aceleraba rumbo a una carrera de coches que tenía lugar en Salinas cuando se estrelló contra otro coche. Triturado como por una apisonadora, ingresó muerto en el hospital de Paso Robles.

Al principio, el dolor del público fue moderado. A los Warners les entristecía sobre todo por razones financieras: ni *Rebelde* ni *Gigante* se habían estrenado aún y las películas protagonizadas por actores recién fallecidos no solían ser muy taquilleras. Pero de pronto, sin que el estudio moviera un dedo, empezó a crecer la leyenda. No habían pasado muchos meses desde su muerte cuando el culto alcanzó extraordinarias proporciones. El estreno de *Rebelde* desató la mayor ola de veneración póstuma de la historia de Hollywood; mayor aún que la de Valentino. Hubo admiradores que se suicidaron. Aunque la carrera de Dean no fue sino un cometa fugaz, la mayoría de sus fans se negaban a aceptar su muerte. Cada día llegaban al estudio miles de cartas, casi todas ellas de adolescentes. Todavía hoy, treinta años después de su muerte, el cartero sigue trayendo sobres para Jimmy.

Chicos de todo el país se identificaban con el atormentado joven, hombre-niño y antihéroe interpretado por Dean en *Rebelde sin causa*. La Warner se dio cuenta de que tenía en las manos un tesoro, caliente-frío. A medida que el culto se extendía, se subastaban a precios altísimos recuerdos del actor: esculturas en plástico de su cabeza, trozos de su coche destrozado, piezas de su moto.

Es muy probable que, incluso si no hubiese muerto, Dean no hubiera hecho más películas después de *Gigante*.

Poniendo el Porsche en marcha: antes y después ↑→

Mucho antes de que fuera aniquilado con su coche, desgarrado por dentro, se había metido ya en el camino de la autodestrucción.

La lápida de la tumba donde yace en Fairmount, Indiana, tan sólo lleva grabado su nombre y las fechas «1931-1955». Un breve epitafio podría haber sido «Todo un gamberro». No obstante, si hoy en día Richard Gere, Matt Dillon u otro de los miembros de este aburrido ejército de imitadores de James Dean, fabricados por Francis Ford Coppola para *Rebeldes*, sufriera la suerte de Dean, ¿habría cultos, suicidios de fans en cadena, llegarían al estudio miles de cartas treinta años después de su muerte? Lo dudo: tal vez Jimmy tuviera ladillas, pero además tenía un carisma perdurable.

Dean: cambio y fuera

Modern Screen

GFL

Extrañas parejas

Hollywood es un lugar curioso donde individuos que se odian visceralmente están obligados a besarse con pasión bajo focos abrasadores, mientras una multitud de hostiles espectadores los observa con atención sostenida. Si bien tuvo lugar lejos de Hollywood, la anécdota resume la situación con gran claridad: se estaba rodando *Bolero* cuando Bo Derek, después de una semana de besos febriles con un italiano, descubrió que en los labios de su hermoso compañero despuntaba un herpes muy activo. La pequeña Bo quedó aterrada. Hubo que despedir al pobre chico y reemplazarlo por otro; al maridito John le costó algún discursito tierno convencerla de que continuara con otro galán.

¡El Beso del Herpes! Así

Flotando en dicha doméstica: los Karloff en su casa
← *Pareja sinfónica: Greta y Leopold*

195

acaba nuestro romance con Hollywood.

Aun así, Hollywood ha sido escenario de algunas *grandes* parejas. Amar de verdad. Pasión genuina. Toma 1: Carole Lombard y Russ Columbo. Toma 2: Carole Lombard y Clark Gable. Toma 3: Carole y los bonos de guerra. Fundido en negro. Mitch Leisen y Billy Daniels, la pareja gay de Hollywood, en apariencia *semper fidelis* hasta que Mitch descubrió una indiscreción de Billy y empezó a conmover a medio mundo con sus lamentos. Billy se hizo humo.

Más comunes han sido siempre los *intensos* romances pasajeros. ¿Quién estaría dispuesto a asegurar que las *fabulosas* aventuras de una noche son menos gratificantes que toda «una vida de lealtad»? De modo que permítanme exponer a su contemplación las parejas más *inverosímiles* que se hayan formado en Tinseltown, y no me refiero a ir cogiditos de la mano.

Dos amores de Tallulah: Hattie McDaniel y Patsy Kelly
Marlene Dietrich y Claudette Colbert →

¿Están preparados para la entrada de Tallulah? Bien conocida es su naturaleza ambidiestra, de corriente alterna. Don Juan hecho mujer, la conquista lo era todo para ella. Fue lo que la llevó a arriesgarse con la incorruptible Semple MacPherson, como quien dice: «También tú puedes caer».

Patsy Kelly, por otro lado, era una chica estable, con mucho más aguante que un zapato viejo.

El desafío: ¿sabían ustedes que Tallulah también era una *buscadora gordinflona*? ¿Pueden acaso imaginarse a la Bankhead haciéndolo con esa cosita endeble que es Hattie McDaniel?

A Taloo le gustaba de vez en cuando escabullirse de la multitud apretujada de Hollywood y refugiarse en Darktown, hacia West Adams, en L.A., donde Hattie, «harta de los tíos» después de un penoso divorcio, buscaba alivio en el regazo de otra sureña, y por eso «esas damas no eran unas cualesquiera [alusión a la célebre canción cantada por Sinatra cuyo último verso dice: "Thats why the lady is a tramp" ("Por eso la dama es una cualquiera"). (N. del T.)]

¿Están preparados para ver a Clara Bow, la encendida pelirroja de Brooklyn, dedicándose al sexo loca y apasionadamente con *Bela Lugosi*? Así es. En 1928, Clara, por lo general la más lanzada, vio a Lugosi representando *Drácula* en un teatro del Biltmore y se lo ligó. Tres años antes, Bela iniciaba una nueva etapa en los viejos estudios de la Universal. Tres años antes de que una depresión nerviosa alejara a Clara demasiado-de-todo Tinseltown rumbo a veinte años de insomnio en Nevada. Más tarde, ella hablaría cariñosamente de Bela. Barcos que se cruzan en la noche.

Will Rogers y Shirley Temple. ¡Ah, la obsesión de Will! Tocado por un flechazo certero de la pequeña y atrevida Shirley, el Cowboy de Oklahoma no encontraba filosofía capaz de restañarle su corazón herido. *¡Amor no correspondido!* Eso llevó a ese hombre, capaz de obrar maravillas con el lazo, incluso a practicar un agujero en el camerino de Shirley en la Fox, en un agónico gesto digno de *La muerte en Venecia*. ¿Lo supo Shirley? Miren, Graham Greene tenía razón cuando en 1934 la acusó de ser un enano de cincuenta años. Sabía un *montón* de cosas. Quería a Will. Como se quiere a un tío.

Clark Gable y su segunda esposa: las prefería maduras →

William Randolph Hearst y Marion Davies. Claro, a nadie le sorprenderá este romance largamente-expuesto-al-dominio-público, y por lo demás ilícito y adúltero. No obstante, veamos: el encuentro cursi de Marion y Willie en el Follies; ella con apenas dieciséis años, él grandote, millonario gracias a negocios de guerra, poderoso y acercándose a los sesenta. ¡Se liaron de inmediato y formaron una *pareja perfecta*! Esto no lo ha escrito nadie, pero estoy seguro de que en ese instante la orquesta del Follies debía tocar «Canción de septiembre».

Hearst tenía un doble motivo para estar furioso contra Herman Mankiewicz, un antiguo huésped de San Simeon que solía contar anécdotas inventadas. Marion nunca engañó a Hearst, no como Susan Alexander quien sí engañaba al quisquilloso vejete Charlie Kane [por supuesto, se trata del protagonista de *Ciudadano Kane* de Orson Welles, que en no pocos aspectos era el doble de Hearst. (N. del T.)]. Marion permaneció *fiel* a William Randolph y *devotamente enamorada* de él hasta que la muerte y los hostiles hijos de él retiraron su cuerpo.

Pero aún hay otro motivo por el cual William Randolph Hearst hubiera querido ahorcar a Mankiewicz y a su secuaz, el locutor de radio bro-

Atracción de los opuestos: Clara Bow y Bela Lugosi

Gable y Oliver: Edna May tuvo suerte

Graciosa pareja: Cary Grant y Randy Scott →

Cary y Randy: en casa, en la piscina, improvisando y en el boxeo

mista y engreído llamado Orson Welles, el «Niño Prodigio». El amoroso nombre secreto que Hearst daba al húmedo «cofrecito» de su «niña», el mote que ambos habían elegido para referirse a los genitales de Marion y a su hipersensible «botón de amor» —el clítoris de Marion— era el de *Rosebud* (Pimpollo), tan adorable como gráfico. Marion desde luego bebía (éste era el único rasgo de carácter que compartía con la Susan Alexander de la ficción), y alguien compartió la confidencia apenas susurrada —¿habrá sido Louise Brooks? Bien, como suele suceder, el rumor fue de boca a oído hasta que la mente de Herman Mankiewicz, más infalible que una trampa de acero, tomó nota de la información: *Marion Davies=Rosebud.*

Todo el mundo sabe ahora cómo acabó Rosebud: en los labios agonizantes de Charles Foster Kane. Al viejo y herrumbrado «modelo de refe-

Charlie Chaplin y Marion Davies: romance ante las narices de Hearst

rencia» de la película de la RKO (cuyo título original era simplemente *American*), el ligeramente encorvado totem viviente W.R. Hearst, ya le amargó bastante la vida el que el clítoris de Marion Davies se mencionara a lo largo de *Ciudadano Kane* —medio mundo recuerda *Rosebud*, jugando con la palabrita como juegan los niños con los dientes flojos—, ¡pero mucho peor para Hearst fue que el anciano Kane muriese con *Rosebud* en los labios!

¡Mucho peor era ese *cunnilingus cinemático* que la visión

El secreto está en las manos: Conrad Veidt y un amigo

final de *Rosebud* quemándose
y consumiéndose en las devo-
radoras llamas del horno de
Xanadu!

Pero, puesto a prueba casi
más allá de lo humanamente
soportable, el viejo dragón
Fafner que era Hearst, de-

mostró poder portarse como
un *caballero*. El no era un tipo
de Texas. No recurrió a las armas. Orson y Herman se sal-
varon por los pelos y su
triunfo no fue material. *Ciudadano Kane*: una magnífica
mala pasada del cine.

*Edgar y Charlie: entre amigos no hay pelea que dure
Bobby y Billy Mauch: más íntimos que íntimos* →

Rubias estrechamente vigiladas

El famoso mercader del miedo se había arrellanado en un costoso sillón orejero hecho a medida para su notable tamaño. En aquel momento de su carrera se parecía al abuelo de E.T. Tenía la cabeza pegada al ocular de un poderoso telescopio, sostenido por un trípode, que asomaba por una ventana a la suave noche de Laurel Canyon.

A un kilómetro y medio de distancia, la alcoba estaba profusamente iluminada. Ninguna cortina, corrida o no, obstaculizaba la visión. La persiana estaba subida. La futura Lady Bondad de Mónaco se encontraba a punto de realizar la única importante acción de caridad de toda su encantadora vida.

Lenta, pensativamente, como quien regresa a casa tras una noche en la ciudad, Grace Kelly se desnudaba. Primero el sombrero, luego los guantes. Los tirantes del vestido de noche le resbalaron por los blancos hombros, permitiendo que el sensual *crêpe de Chine* cayera al suelo. Había que desabrochar el sostén. Las últimas en caer fueron las braguitas de encaje francés.

Al otro lado del valle en sombras, «Cocky» (mote que, de vuelta a Inglaterra, le habían dado al obeso sus compañeros de colegio) se mostró a la altura de las circunstancias.

La *escopofilia* —gratificación del deseo sexual por medio de la mirada oculta— es el más limpio de los vicios. El escopófilo se mantiene a salvo de los peligros del contagio carnal, de los gérmenes y de las deplorables escenas que suele causar el rechazo. Vinculada como estaba ella a él sólo por las pulidas lentes ópticas por encima del abismo, la hermosa ex modelo de Filadelfia, glacialmente rubia, había consentido complacer al mirón de Al *sólo por esa vez.*

Todo terminaría en unos escasos cinco minutos, al apagar ella las luces.

Años más tarde, liberada ya la muchacha de su control y cuando ella había conquistado ya una de las pocas coronas que aún quedaban en Europa, se oiría de vez en cuando al petulante Hitchcock farfullar infundios sobre el monarca de un pequeño país de jugadores y su esposa, una ex actriz, a quien él siempre llamaba «Princesa Desgracia».

A bella muerta, bella puesta: con el acuerdo entre Alfred Hitchcock y la siguiente rubia glacial, «Tippi» Hedren, ex modelo de modas, firmaba un contrato servil de siete años, por el cual su nombre quedó aprisionado entre comillas y con el que marcó de un sello indeleble la tensa, obsesiva relación cuyos resultados fueron Los pájaros, y Marnie la ladrona, dos de los thrillers más perversos del director.

Durante el rodaje de Los pájaros «Tippi» accedió a las exigencias del Maestro del Suspense: debería permanecer maniatada, mientras pájaros vivos, arrojados sobre su cuerpo, le picoteaban los miembros. Poco faltó para que un zapapico la dejara ciega; la dama sufrió un colapso nervioso.

La misoginia de Hitchcock, ese placer suyo en maltratar a mujeres guapas en la pantalla, había alcanzado su momento cumbre pocos años antes, en 1959, al negarse Audrey Hepburn a trabajar en No hay fianza para el juez, una película que el director había pensado especialmente para ella. Debía incluir una escena de violación tan gráfica como repugnante. Demasiado gráfica para Audrey, quien hacía muy poco había sido aclamada por su papel de religiosa en Historia de una monja. De modo que pidió excusas y alegó embarazo: el mismo argumento que dos años antes ofreciera Vera Miles para retirarse de Vértigo. Hitchcock dejó de lado el proyecto de No hay fianza para el juez — con la pérdida de 200 de los grandes—, y en su lugar hizo Psicosis, con su asesinato en la ducha que parece una violación. Sus últimas películas parecen echar a las mujeres la culpa de las incontrolables pasiones que se agitan en los hombres.

Pese a la casta devoción de Hitch por su esposa Alma — la mujer que, según solía bromear, lo había salvado de «volverse loco»—, desarrolló una violenta obsesión romántica y sexual por Hedren. Ella era la única adecuada

(pero en un momento inoportuno) para la agriada vida sexual del director y pagó muy cara la pasión que había despertado. Estaba previsto que, para el episodio cumbre del ataque aéreo de *Los pájaros* se utilizaran pájaros mecánicos. Como no le parecieron convincentes, el director decidió emplear los de verdad. Durante una semana entera «Tippi» fue despellejada por gaviotas y cuervos enloquecidos. La ataron al suelo con tiras elásticas invisibles; luego, mediante hilos de nylon, amarraron su vestido a las aves ex-

Grace Kelly: un número de calidad

citadas, a las cuales se incitó a picarle el cuerpo. Uno de los pájaros hizo lo posible para arrancarle el ojo izquierdo; el incidente dejó una huella profunda en el párpado inferior. La actriz cayó en un ataque de histeria. Finalmente acabó por derrumbarse del todo y hubo que interrumpir la filmación toda una semana.

Con el siguiente film, Hitchcock se volvería aún más posesivo y dominante. Durante el rodaje de *Los pájaros* había acosado a Hedren con martinis durante los ensayos. Durante la filmación de *Marnie*, además de la escopofilia, se los administraba él mismo.

Esta extraña relación entre Bella y Bestia se prolongó cierto tiempo. Durante ésta, Hitch envió un peculiar regalo a Melanie, la hija de cinco años de Hedren: una muñeca que representaba a su madre, vestida y peinada como el personaje que había encarnado en *Los pájaros*, y metida en un pequeño ataúd de madera de pino.

Tiempo después aprovechó una sesión de maquillaje (con pruebas de «heridas» incluidas) para encargar una máscara del rostro de «Tippi» que guardaría después celosamente en una caja de terciopelo rojo. Un día le enviaba

Hitch, inveterado voyeur

efusivas y apasionadas cartas; al siguiente, recibía fríos informes profesionales.

Aunque ella le puso al corriente de que pensaba volver a casarse —se casaría con su agente al acabar el rodaje—, él no se dio por aludido. Insistía en que ella era todo lo que él había soñado siempre. Ojalá una noche Alma se fuese a dormir y no volviera a despertarse nunca...

El guión de *Marnie* puede leerse como el desarrollo simbólico de la vana persecución de la estrella por el director: en ella una fría cleptómana se resiste a los avances de su marido durante la luna de miel y luego intenta suicidarse cuando él la violenta.

Durante el rodaje, Hitch persiguió su viejo sueño de libertino: debió de sentir que las sombras del sillón de ruedas y el marcapasos se alzaban para él en el horizonte. La película se transformó en el *cri de coeur* de un ciudadano otoñal. Un día, cuando el rodaje iba por la mitad, fue al camerino de «Tippi» y le hizo proposiciones. La esencia de la escena fue digna de un melodrama victoriano: el muy ruin amenazó con arruinarla si no cedía. Ella no cedió. A partir de ese momento él se negó a dirigirle la palabra directamente en el plató. Les ordenó a sus ayudantes que le dijeran: «a esa chica que...».

A partir de *Marnie*, la decadencia física y moral se precipitaría. Seriamente deprimido, Hitchcock insertó en *Frenesí* la escena de violación más brutal y aterradora que jamás había puesto en una película.

En las películas de Hitchcock abundan las referencias a la sumisión. No obstante, fue con el público con quien perpetró el más notable ejercicio sadomasoquista. Era capaz de mantenerlo hechizado en la oscuridad, sólo gracias a la astucia, al genio y a la habilidad. Pegados a sus asientos, el maestro del miedo atormentó a sus espectadores hasta saciarlos. Y, contrariamente a Grace y «Tippi», ellos vuelven una y otra vez a por más.

Tippi y su torturador

Tippi Hedren: el ideal de Hitchcock →

Los borrachos de Babilonia

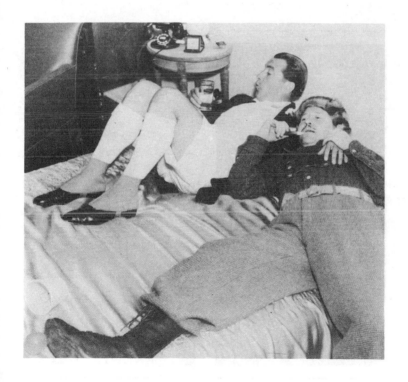

D.W. Griffith

George Bancroft
W.C. Fields mortalmente corroído por el gin →

← *Mae West con el abstemio Billy Sunday: todo por una risa*
John Barrymore da positivo en una prueba de alcohol

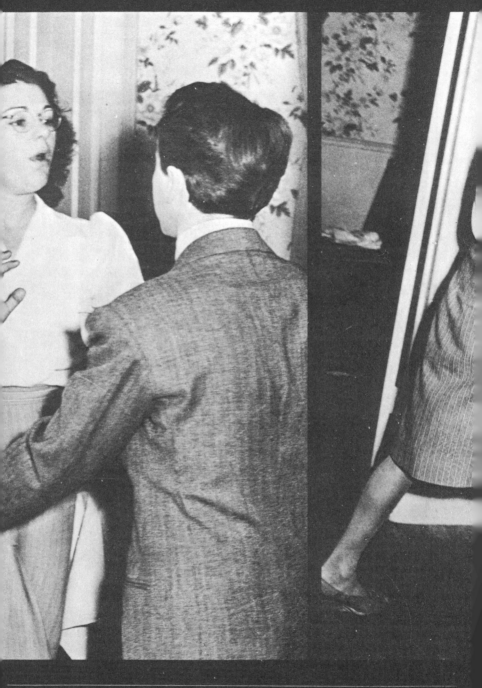

▲ *Lillian Roth: pelea de borrachos y recuperación en el hospital* ▶

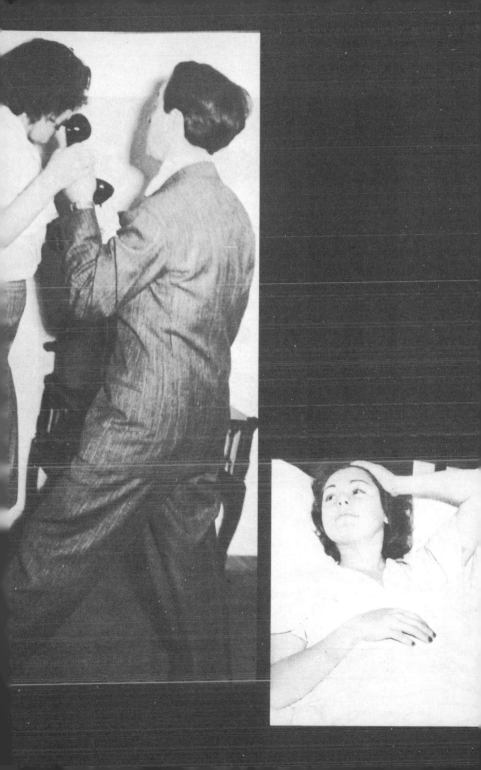

Mary Pickford: como una cuba
Errol Flynn a lomos de una yegüita adolescente →

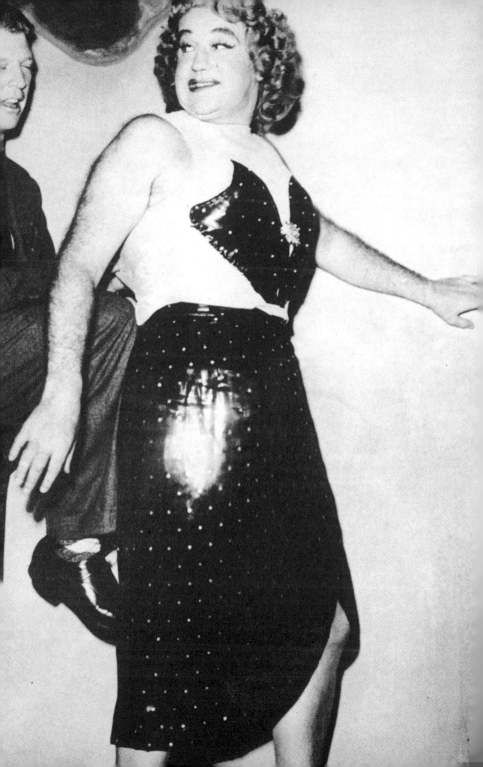

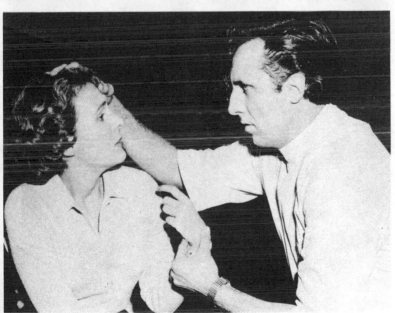

Dan Dailey abrocha a Broderick Crawford
Intérpretes sedientos: Bruce Cabot, Dan Duryea y Timothy Carey

231

Dixie Lee Crosby: Bing la llevó a la bebida
← *Robert Walker detenido: y con los nudillos machacados*

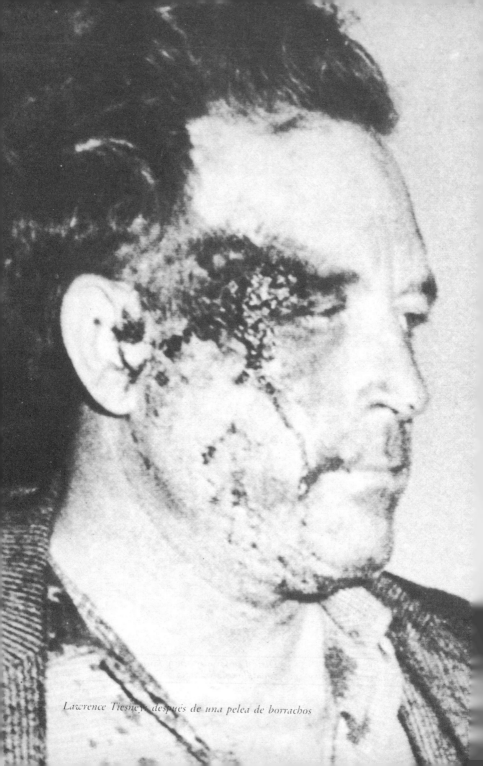

Lawrence Tiesney, después de una pelea de borrachos

Cass Daley: *murió de una caída de borracha*
Bob Mitchum: *chequeo al salir de la Clínica Betty Ford*

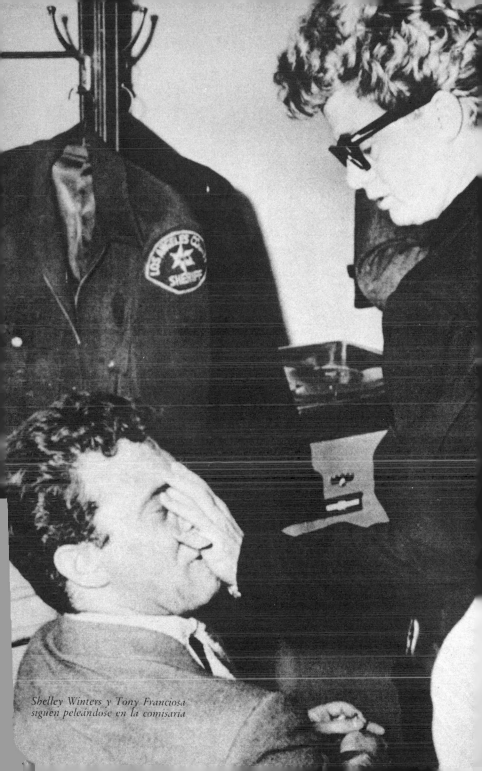

Shelley Winters y Tony Franciosa
siguen peleándose en la comisaría

Todos borrachos: Louella Parsons, Truman Capote y Richard Burton

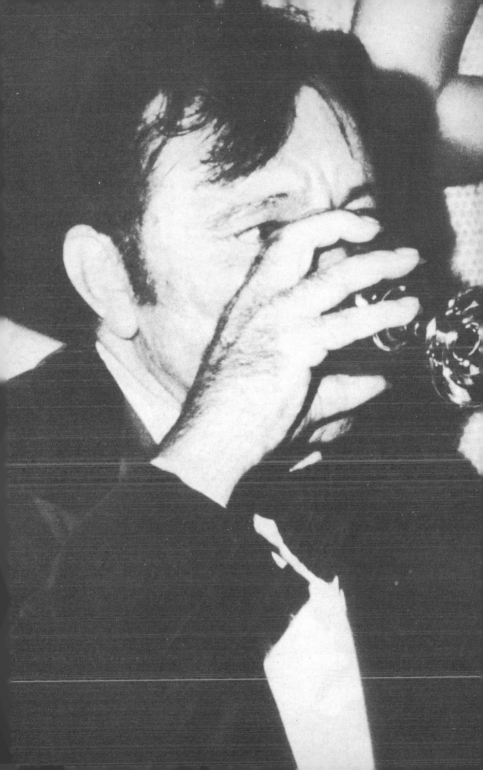

Un niño descarriado

Realizada por Ted Tezlaff cuando Bobby Driscoll tenía doce años, *La ventana* (1949) fue la mejor película del irresistible astro precoz. Driscoll interpretaba en ella a Tommy Woodry, hijo de una familia de obreros de Nueva York. Vista hoy, este apasionante *thriller* sobre la paranoia que inspiran en los niños los adultos, adquiere sombrías resonancias, amargamente irónicas. Hay un momento en que la madre de Tommy (Barbara Hale) le prohíbe salir del humilde apartamento de alquiler en donde viven, en el bajo East Side. Tommy contesta: «No tengo a donde ir». Tras una carrera temprana, brillante y prometedora (una estrella a los seis años, ganador del Oscar a los once, treinta películas en su haber, la mayoría de ellas junto a las máximas figuras de Hollywood), a los diecisiete años, Driscoll ya era un ex yonqui y había sido detenido varias veces con distintos cargos. En 1968, descubrieron su cadáver en un edificio abandonado del bajo East Side de Nueva York — escenario de su film más impresionante. En el momento en que encontraron el cuerpo no pudo ser identificado, y el premiado actor que había llegado a ganar 60.000 dólares al año fue a parar a una fosa común.

Bobby Driscoll había nacido en Cedar Rapids, Iowa, en 1937. Tenía seis años cuando la familia se trasladó a California. Un barbero que le cortaba el pelo fue tajante: este chico tan listo debería estar en el cine. Una visita a la MGM para una prueba demostró que el barbero sabía lo que decía: le dieron un papel en *Lost angel*, protagonizada por Margaret O'Brien, la presumida niña mimada, sensación del momento. (También O'Brien estaba destinada a no graduarse nunca para papeles

de adulta; no obstante, la vida le ahorró la tragedia que acabó con Bobby.)

Todo un as para memorizar diálogos, Bobby era también un actor espontáneo y natural. Los estudios empezaron pronto a disputárselo. Para la Fox actuó con Anne Baxter en *Sunday dinner for a soldier* de Lloyd Bacon; para la Paramount, con Veronika Lake y Lilian Gish en *Pensión histórica* y con Alan Ladd en *OSS*. Contratado por la Universal para *So goes my love*, causó una profunda impresión entre los veteranos. Mirna Loy señaló: «Tiene tal encanto que si Don Ameche y yo no nos hubiéramos esmerado, el público miraría sólo al niño y a nosotros no nos haría caso». Ameche afirmó: «Tiene un gran talento. He trabajado con un montón de niños actores en mi vida, pero ninguno

tenía tanto futuro como parece tener Driscoll».

Su infantil seducción también aparece evidente en *De hoy en adelante*, con Joan Fontaine; *The happy time*, con Charles Boyer; *The scarlet coat*, con Cornel Wilde y George Sanders; y *When I Grow up*, con Robert Preston. En esta última Bobby Driscoll se las ingenia para huir de casa, algo que en varias películas anteriores había intentado ya.

En 1946, cuando firmó con Disney para *La canción del Sur*, Bobby se convirtió en su primer intérprete de carne y hueso. En ella, encarna al pequeño Johnny que vive en la plantación de su abuela y está secundado por la gran Hattie McDaniel. A medida que avanza la historia, el tío Remus (James Baskett) le va contando a Johnny cuentos para evitar que se vaya de casa. Su moraleja, resumida por el mismo Remus para el niño, es que «no se puede huir de los problemas: no hay lugar alguno más allá». (¡Lástima que el verdadero Driscoll no escuchara al tío Remus!) Este bello y gratificante film sería para Disney una mina de oro: dio aún más dinero cuando la repusieron en 1956 y en 1972. En realidad debería volver todos los años.

Bobby en sus comienzos: un niño disciplinado

El personal de los estudios se dio cuenta de que el encanto de Bobby obraba maravillas en el «Gruñón» de Disney; algunos comentaban que el jefe parecía haberse enamorado del chiquillo. Algo de verdad pudo haber y, si la hubo, fue un amor que creció con las fuertes recaudaciones de taquilla que las películas de Bobby aportaron al tío Walt: las cinco fueron rotundos éxitos económicos. En *Melody time* (1948), Bobby le pregunta a Roy Rogers por qué aúllan los coyotes, y entonces el vaquero le cuenta la fascinante historia de Pecos Bill, un niño criado por los coyotes. En *So dear to my heart*, estrenada el mismo año, Bobby aparece junto a los veteranos Beulah Bondi, Harry Carey y Burl Ives. El crítico de la revista «Time» escribió: «Bobby Driscoll es una excepción entre los actores infantiles; si está relajado resulta un niño de lo más atractivo y, cuando actúa no es en absoluto repelente».

El niño no repelente recibió un Premio Especial de la Academia al «actor juvenil más destacado de 1949» por su trabajo en *So dear to my heart* y *La ventana*.

En *La isla del tesoro*, filmada en 1950 por Disney en Inglaterra, Driscoll lograría una de sus más memorables actuaciones, superior en todos los aspectos a la que del mismo papel de Jim Hawkins hiciera Jackie Cooper en la versión producida por la MGM en 1934. El entusiasmo de Disney fue recíproco: Driscoll parecía querer real-

El triunfo de Bobby: The window

mente al tío Walt. Se dejaba dirigir mejor que cualquier otro niño; en el estudio todo el mundo se deshacía en alabanzas. En 1953, Bobby prestó su voz a Peter Pan, y su interpretación del protagonista fue filmada y traducida a los dibujos animados de la película *Peter Pan.*

Cuando el Peter Pan de Iowa empezó a crecer en la vida real —cuando alcanzó la adolescencia y se le llenó la cara de granos— dejó de ser un niño encantador para convertirse en un *teenager* arisco y peleón. Empezaron a escasear los papeles: Bobby Driscoll apareció en una ocasión como *teenager* invitado al show televisivo de Loretta Young.

Tenía diecinueve años cuando se casó con Marilyn Brush en 1956. Tuvieron tres hijos, pero el matrimonio terminó con una penosa separación. 1956 fue asimismo el año en que su carrera se embarrancó. Bobby y un amigo fueron atrapados por una denuncia por posesión de narcóticos. Vestido con unos tejanos y un jersey sucio, lo arrestaron en su casa de Pacific Palisades. Todavía era un joven muy apuesto. Más tarde su madre declararía: «La droga lo cambió. No se bañaba, se le estropearon los dientes... Te-

nía un coeficiente mental altísimo, pero los narcóticos le afectaron el cerebro. Nosotros no sabíamos qué le pasaba. Llegó a los diecinueve años sin que nos diéramos cuenta».

Después de tres años de ausencia, volvió a la pantalla en 1958, en un film de serie B: *The party crashers* de Bernard Girard. Quiso la casualidad que la co-estrella del film fuese Frances Farmer que estaba lobotomizada y que volvía torpemente al cine tras dieciséis años de inactividad. *The party crashers* sería la última película para esas dos trágicas figuras.

En 1959, cuando los polis del sheriff advirtieron que Bobby tenía huellas de pinchazos en los brazos y le encontraron «una provisión de narcóticos», lo arrestaron por consumo de heroína y lo encerraron en la cárcel por drogadicto.

En 1960, lo acusaron de agresión con un arma mortal. Driscoll dijo que un grupo de provocadores se había acercado a molestarle mientras él lavaba el coche de un amigo. Parece ser que había zurrado a uno de la pandilla con una pistola. Driscoll alegó que el tipo «se había lanzado contra el arma».

A principios de 1961, fue

arrestado por atraco a una clínica de animales. Ese mismo año volvieron a detenerlo por falsificar un cheque robado y por varios delitos relacionados con drogas. Fue enviado durante seis meses al Centro de Rehabilitación para Drogadictos de la penitenciaría de Chino State. Éstas fueron sus palabras ante el tribunal: «Lo tenía todo... ganaba más de 50.000 dólares al año, me daban trabajo y buenos papeles. Entonces empecé a emplear todo mi tiempo libre en pincharme. La primera vez que probé drogas tenía diecisiete años... como no me faltaba dinero, compraba sobre todo heroína. Ahora nadie quiere contratarme por mis detenciones. Espero ansiosamente los próximos meses en Chino».

Cuando lo liberaron, Bobby se esfumó. Anduvo de un lado para otro hasta que por fin aterrizó en el bajo East Side de Nueva York, en aque-

Bobby en The party crashers

lla época un infernal paraíso de drogas para hippies y yonquis. Para entonces, era la estampa viva del *freak* siempre acelerado, que le robaba hasta a los amigos. El 30 de marzo de 1968, dos niños que jugaban en un edificio desierto cerca de la avenida A descubrieron el cadáver de un hombre joven, rodeado de objetos religiosos y basura. No llevaba en la ropa ninguna identificación, pero tenía huellas en los brazos y metedrina en la sangre. Se le tomaron las huellas dactilares y fue enterrado en tierra de desechos: Hart Island, más allá del Bronx.

Diecinueve meses más tarde, ejecutivos de la Disney recibieron una llamada telefó-

nica de la madre de Bobby: el padre se estaba muriendo y quería ver a su hijo. Había acudido al FBI para que la atendieran, pero en vano. Peter Pan seguía sin aparecer. Gracias a los esfuerzos de la gente de Disney y del departamento de Justicia del condado de Los Angeles, por medio de un examen dactilar se descubrió que el cuerpo hallado el año anterior en Nueva York y enterrado en una fosa común era el de Bobby. El descubrimiento tuvo lugar dos semanas después de la muerte de Papá Driscoll.

Tres años más tarde, Disney repuso *Song of the South*. La película dio más dinero que nunca. Bobby ya no estaba allí para presenciar el tributo que una nueva generación de admiradores rendía a su trabajo, ni para compartir los beneficios obtenidos por la Disney gracias a la reposición.

En cuanto a Mrs. Driscoll, cuando le preguntaron qué opinaba de la reposición de la película, respondió: «Va a ser doloroso ver a mi hijo en la pantalla, pero también muy bonito. Era un chico estupendo. Por favor, díganle a la gente que pocas madres han tenido un hijo tan bueno ni tan generoso».

Adiós, Bobby. Adiós.

Bobby adolescente: poco solicitado
Driscoll en la zona baja del East Side: acercándose al fin →

Sor Atila

«La viuda negra recubierta de chocolate» no evoca la imagen de uno de los más bellos rostros de Hollywood, pero no deja de ser uno de los apodos más cariñosos que, a lo largo de los años, se emplearon para describir a Loretta Young. Había nacido en Salt Lake City, en 1913, con el nombre de Gretchen Young. Sus íntimos solían llamarla «*Gretch, the Wretch*» («Gretch, la Miserable»). «Mariposa de acero», «La hermosa carcelera de Hollywood», «La Manipuladora», o bien «Alondra con espinazo de hierro». Cuando, ya mayor, se cubrió con el manto de la rectitud moral, pasó a ser «Santa Loretta» o «Sor Atila». En cierta ocasión, durante una fiesta *chez* Joan Crawford, el productor Ross Hunter estaba por acomodar el trasero en una silla confortable cuando la Crawford le advirtió justo a tiempo: «Ahí no, que acaba de sentarse Lo-

retta Young. Ha dejado la señal de la cruz en el asiento». En una comida al aire libre, le regalaron a Jack Hellman un tazón de agua «sobre la cual había caminado Loretta Young». Sin embargo, de la taza a la boca había desaparecido la sopa...

Cuando su madre se trasladó a Hollywood con sus hijos, a Loretta la enviaron al Convento Ramona. (Años después la actriz protagonizaría *Ramona* y haría el papel de una monja en *Hablan las campanas.*) De niña apareció en la pantalla en muchos papeles menores, entre otros en el de un mocoso árabe en *El hijo del Jeque* con Valentino. Su primera interpretación importante fue en 1928, al lado de Lon Chaney en *Ríe, payaso, ríe*. En la primera etapa del cine sonoro salió disparada hacia el estrellato, pero en la mayoría de sus films su vestuario obtuvo mejores comentarios que la modelo. Al

reseñar *El porvenir es nuestro*, Bosley Crowther, crítico del «New York Times», hizo la mejor definición de Loretta: «Sea lo que sea lo que jamás tuvo esta actriz, aún está lejos de tenerlo.» Toda la fortuna de la Young era su rostro (labios carnosos, pómulos salientes); ella sabía cómo utilizarlo para obtener el máximo efecto en la cámara y cómo eclipsar a todos en el plató. Su cuerpo no era gran cosa: más de una vez hubo que manipularle pechos, nalgas, muslos y pantorrillas para ofrecer mejor aspecto al objetivo.

En 1930, a los diecisiete años, se fugó con el actor Grant Withers poco después de que los dos protagonizaran *The second floor Mystery*. Withers no era católico; no se casaron ante un cura. Durante un año le negaron a ella la comunión: a los ojos de la Iglesia no estaba casada. En 1931 fue anulado el matrimonio. La carrera de Withers se derrumbó; más tarde se suicidaría.

A quien haya presenciado las apariciones de la Loretta crepuscular en las ceremonias de entrega de los Oscar, sonriendo lánguidamente mientras despotrica contra las «porquerías» que salen en las películas actuales, o a quien haya visto sus virginales contoneos de Madre Superiora

Clark y Loretta en La llamada de la selva: *las cosas tal como eran*

del glamour, en sus shows televisivos, le costará creer que esa señora impecablemente conservada, con una actitud grave, fue décadas atrás una de las chicas «salvajes» de Hollywood. Lo cierto es que había sido la chica de *La llamada de la selva*. Corría entonces el año 1935.

Junto a Clark Gable, «La Manipuladora» había sido elegida para la versión cinematográfica que William Wellman realizó de la saga de Jack London. Sobre un hombre, una mujer y un perro en las gélidas tierras de Klondike. Loretta Young interpretaba a la mujer.

La fórmula Gable-Young resultó tempestuosa tanto en la pantalla como fuera de ella. La mojigatería de Loretta se avenía perfectamente con la personalidad de macho buena pasta de Gable. Era de dominio público que el astro de las orejas en abanico se había alejado de su esposa Ria; las fans seguían excitadas los artículos de Louella Parsons, esa zafia traficante oficial de chismes de Hollywood, en los cuales aseguraba que en el corazón de una de las mujeres más bellas del cine y en el sex-symbol más conocido de la ciudad anidaba un idilio. En su autobiografía, el director Wellman recuerda que tan intenso fue el romance que interfería en su calendario de producción. «Con *La llamada de la selva* tuvimos problemas, muchos problemas. Gable desatendía su trabajo; al menos el trabajo de hacer películas. Más bien atendía el de hacer el indio.» A medida que pasaba el tiempo se rumoreaba que el asunto culminaría en un enlace, que Gable se divorciaría de Ria y se casaría con Miss Young.

Esto no ocurrió. En cambio, tanto «The Hollywood Reporter» como «Variety» publicaron poco después informaciones más bien confusas. Se anunció que la Fox retiraría a Miss Young durante un año de la pantalla «por cuestiones de salud». En un artículo de «Photoplay», Dorothy Manners negó los rumores de que Loretta Young había sido retirada para «tener un niño en secreto». (En 1935, dar a luz a un hijo fuera del matrimonio hubiera sido catastrófico para la carrera de cualquier estrella.)

Loretta se reintegró al trabajo después de todo un año de ausencia. El 11 de mayo de 1937, volvió a especularse en torno al romance con Gable porque, pese a las leyes vigentes en California que prohibían la adopción de un niño por una persona soltera, la actriz se las ingenió para adoptar una criatura. Adujo que se había enamorado de la chiquilla al verla decorar un árbol de Navidad en un orfanato de San Diego. Por la época en que la noticia se hizo pública, la pequeña Judy tenía veintitrés meses; había nacido semanas después del rodaje de *La llamada de la selva*, en pleno «retiro» de Loretta.

Interrogado, el director Wellman respondió: «Todo lo que sé es que Loretta y Clark se hicieron muy amigos mientras rodábamos, y allá en el norte hace un frío terrible. Una vez acabado el film, ella desapareció por un tiempo y luego se presentó con una hija que tiene las orejas más grandes jamás vistas salvo en un elefante». (Pocos años después de la adopción, Loretta se encargó de que Judy fuera sometida a cirugía plástica; que mejoró sustancialmente sus apéndices auditivos.)

Cuando en 1940 Loretta se casó con el ejecutivo publicitario Thomas Lewis, la niña pasó a llamarse legalmente Judy Lewis. Un año antes de su segunda boda, Young volvió a aparecer en los grandes titulares a causa de un tenebroso asunto financiero. Su

Judy Lewis: asombroso parecido con la madre

amiguito en aquel momento, William Buckner, fue condenado por estafar a ciertas personalidades de Hollywood vendiéndoles acciones inservibles de los Ferrocarriles Filipinos. Lo enviaron a la cárcel.

El matrimonio con Lewis parecía un éxito. Loretta desplegó cada vez más signos exteriores de devoción católica. Frente a cada puerta de su casa instaló una pila de agua bendita. El hobby preferido de Lewis consistía en tomar foto-

grafías devotas de su mujer, siempre en la actitud de la Santísima Virgen. El destino quiso, sin embargo, que, cuando en 1950, ella y Clark volvieron a ser amantes en la pantalla, tuvieran que llevarla de urgencia al hospital desde el estudio donde rodaban: más tarde se supo que había tenido un aborto.

Durante su carrera, los aires de petulante santidad de la Young se convirtieron en fuente de irritación para sus compañeros actores. Nadie ignoraba que durante el rodaje de *The devil's in love*, ella se había negado a besar a Victor Jory: ella era una estrella, él no. Para aparecer en «El show de Loretta Young» (una serie televisiva tan espumosa como gazmoña que se emitió desde 1953 hasta 1961), había que someterse a las reglas del lenguaje casto. Loretta instaló en el plató una «hucha de las blasfemias». Todo aquel que durante los rodajes dijera alguna expresión profana era multado; tenía la obligación de contribuir a la St. Anne's Maternity Hospital de Los Angeles para madres solteras. Cierta vez, cuando un famoso astro de Broadway soltó una palabrota inofensiva, Loretta le advirtió que iba a multarle con cincuenta céntimos. El invitado sacó un billete, se lo

Santa Loretta

entregó y dijo: «Aquí tienes diez dólares. Y ahora, ¡que te den por el saco, Loretta!».

Nombrada Presidenta de la Asociación Cívica por una Literatura Decente (durante el mandato de Reagan como gobernador de California), recorrió al Estado dando conferencias que condenaban la pornografía y la literatura sexualmente explícita. En muchas pequeñas ciudades se produjeron atentados contra los sex-shops durante la noche que seguía a su conferencia. En 1966, una cadena de diarios católicos comenzó a publicar una columna de Loretta Young dedicada a amantes abandonados: consejos prudentes, bocados de dama victoriana.

En 1970, se movió para obtener una orden judicial que obligara a la 20th Century Fox a suprimir el pasaje de *La llamada de la selva* que se ve en *Myra Breckenridge*, corrosivo film basado en la novela homónima de Gore Vidal. Miss Young denunciaba la utilización de una escena sacada de una de sus películas en un film que «describía prácticas sexuales antinaturales». Tres años más tarde, su propio hijo, Christopher Lewis, era detenido bajo acusación de «comportamiento lascivo con dos niños de trece años».

Chris no recurrió contra la acusación de abuso de unos niños, lo cual quería decir que se consideraba culpable. Lewis, que tenía veintinueve años, fue descrito como realizador para la Lyric Productions. Una de las obras «líricas» por él dirigida fue *Genesis's Children*, definida como película porno con niños. Se la habían encautado en el laboratorio. (Para algunos de los pocos que la vieron, era un «film nudista de bebés»; para otros, «el festival de la picha».) Entre los defensores, figuraban un instructor de scouts, un consejero de campo y el heredero de una fortuna petrolera de Texas. La prensa los bautizó «pandilla de soplapollas».

El detective Lloyd Martin, de la Brigada contra el Vicio, definió a los testigos de la defensa como a «un grupo, no de homosexuales, sino de abusadores de niños que sólo logran desacreditar a la colectividad gay». Martin aseguró que los niños, cuyas edades oscilaban entre los cinco y los diecisiete años, «eran inducidos, mediante halagos, dinero y trucos como falsos paseos a caballo, a perpetrar frente a la cámara actos sexuales entre ellos y también con los mayores».

En opinión de James Gro-

din, fiscal del distrito de Los Angeles, Lewis debería haber ido a la cárcel; lo condenaron, en cambio, a cinco años de libertad condicional y a pagar una fianza de 500 dólares. Su madre se negó a hablar del hecho; en su casa, las pilas de agua bendita están siempre llenas.

En 1976, se anunció que Loretta Young interpretaría a la Madre Cabrini en una biografía cinematográfica de la primera santa norteamericana; la dirección del film correría a cargo de Martin Scorsese. Scorsese declaró que, según él, la Madre Cabrini era «una santa nada santa que había hecho la calle y se había abierto camino a codazo limpio en la sociedad». Otorgar el papel a «Sor Atila» era una idea fascinante. Lamentablemente la película nunca se rodó. El regreso de Santa Loretta quedó en la nada.

Loretta en Kismet: *destino de mujer*

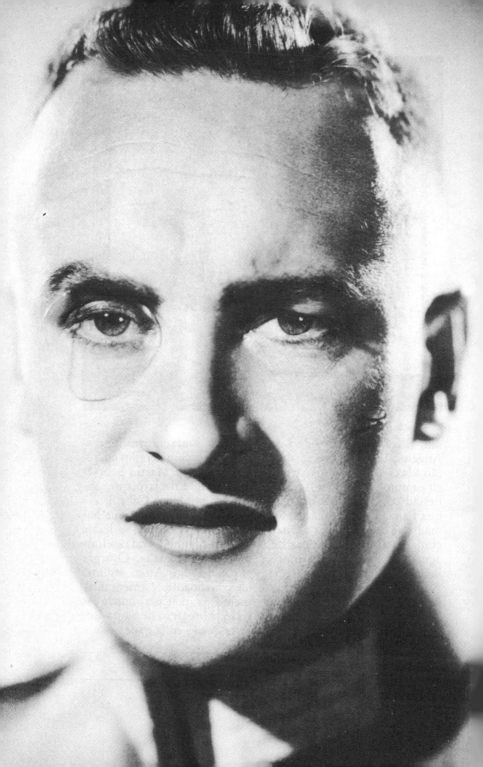

La magia de la autoeliminación

Para el público de cine el suicidio de una estrella siempre ha sido el escándalo final. Si bien no aceptaba el adulterio, la vida disoluta, los múltiples casamientos, el alcoholismo y la drogadicción, ante los casos de suicidio, el público aún podía perdonar, si la estrella había sabido proyectar calidez y simpatía. Pero, para una estrella —e incluso para el último actor de reparto—, quitarse la vida era algo impensable. Tenían fama y dinero, todo lo que *nosotros* hemos deseado: ¿no les bastaba con eso? Debían de estar enfermos.

Y a menudo lo estaban. Además del ocasional suicidio por pasión, la larga lista de suicidas de Tinseltown incluye a aquellos que habían perdido, o estaban perdiendo la salud, así como a los que sentían pánico de perder la juventud y el atractivo. (Pier Angeli, aún arrebatadoramente hermosa, se mató a los treinta y nueve porque «a los cuarenta se acabaría todo».) Delatar ante las cámaras una enfermedad o cualquier debilidad física era la peor de las maldiciones. Para aquéllos que se habían dejado comer el coco por su belleza y encanto y para quienes perder a su público, las cartas de los fans, su «imagen» equivalía a perder la identidad, el suicidio resulta a menudo preferible a una lenta recuperación.

Los suicidas de la industria cinematográfica siempre han sido en su mayoría actores y actrices. Muy pocos son los montadores seniles, los técnicos de sonido arrugados, las scripts artríticas, los maquilladores avejentados o los tramoyistas desgraciados en amor que hayan buscado refugio en los barbitúricos o en la pistola. Las píldoras solían ser el sistema preferido de las estrellas —varones o mujeres— que deseaban llegar en seguida a la gran sala de pro-

yección celestial. La mayoría de los que emplearon armas de fuego eran hombres. Eran hombres los ahogados. También era cosa de hombres el monóxido de carbono.

SUICIDIO POR ENVENENAMIENTO CON MONOXIDO DE CARBONO

El 2 de marzo de 1943 el actor secundario TYLER BROOKE subió a su coche, puso en marcha el motor y murió asfixiado. Sus interpretaciones más notables habían sido en *El príncipe azul* de

Howard Hawks, en *Dinamita* de Cecil B. De Mille (donde era El Alma de la Fiesta) y en *Amame esta noche* de Rouben Mamoulian (en la cual era El Compositor).

El popular actor cómico SPENCER CHARTERS, que solía hacer papeles de juez, subió a su coche el 25 de enero de 1943, se tomó un frasco de píldoras para dormir, puso en marcha el motor y murió asfixiado. Durante una larga carrera de treinta y seis años había actuado en 479 obras y en

Tyler Brooke (con bastón): el Alma de la Fiesta
Spencer Charters estrangula a Una Merkel →

docenas de comedias de George M. Cohan. En *Whoopee*, el musical de Florenz Ziegfeld que causara sensación en Broadway, había creado el personaje de Jerome Underwood, y lo habían traído a Hollywood para que repitiera el papel, junto a Eddie Cantor, en la versión cinematográfica que, con coreografía de Busby Berkeley, Sam Goldwyn produjo en Technicolor de dos tonos. Charters apareció en unas doscientas películas: *Primera plana, Palmy days, Wonder bar, El cuervo, Huracán sobre la isla* (en el papel de El Juez), *Tambores en el Mohawk* (como Fisk, el posadero), *El joven Lincoln* (como el juez Bell) y *El jorobado de Notre Dame* entre otras. En uno de sus mejores films, *The bat whispers*, de Roland West, Charters aparece junto a Chester Morris, otro candidato al suicidio. Charters y Tyler Brooke actuaron en *Chicago* de Henry King, quien convirtió ese desastre de película en un film sobre un doble suicidio con monóxido de carbono.

JACK DOUGHERTY fue durante los años veinte un apuesto actor secundario de westerns y películas de aventuras (*Una llama en el espacio, The burning trail, Arizona Express*), aunque quizás haya sido aún más conocido como marido de la actriz Virginia Brown Faire y luego de la alcohólica Barbara La Marr, quien murió de una sobredosis. En 1933, Dougherty intentó suicidarse y le salió mal. Pero, ya se sabe, si no sale bien a la primera... El 16 de mayo de 1938, se metió en el coche, puso en marcha el motor y murió asfixiado.

AUTOCIDIO

CHARLES BUTTERWORTH fue uno de los cómicos más vibrantes —y simpáticos— que durante los Dorados Años Treinta agraciaron el cine norteamericano. Por lo general a Butterworth le daban el papel de soltero rico, tímido y torpe que rara vez se come un rosco. Había nacido en 1896 en Indiana, estudiado Derecho en la Universidad de Notre Dame y por un breve período se había dedicado al periodis-

Charles
BUTTERWORTH
BELIEVE IT OR NOT, BUT IF BUTTERWORTH DECIDED TO QUIT THE MOVIES TODAY HE COULD GET A JOB ON ANY LARGE NEWSPAPER---- BEFORE CHARLIE ENTERED PICTURES HE WAS A WELL KNOWN WRITER ON A NEW YORK NEWSPAPER!

mo. No obstante, su principal vocación fue la de actor y, tras haber participado en varios musicales y comedias de Broadway, en 1930 hizo su debut cinematográfico en Hollywood. Participó, junto a Boris Karloff y John Barrymore, en *El ídolo* de Michael Curtiz; en la obra maestra de Rouben Mamoulian, *Amame esta noche*, es el admirador que sigue siempre a Jeannette MacDonald, el Conde de Savignac. Otras películas suyas son *The cat and the fiddle, Magnificent Obsession, The boys from Syracuse, Second chorus* y *This is the army*. En *Every day's a holiday*, la estafadora Mae West le vende a Butterworth el puente de Brooklyn. Esta película de la West fue escenario de *tres* suicidios, ya que además de Butterworth actuaban en ella Herman Bing y el amante de la protagonista, Johnny Indrisano, quienes también pusieron fin a sus días.

Oficialmente la muerte de Butterworth figura como un accidente, pero la verdad es que se dio muerte. Dusty Negulesco, esposa del director Jean Negulesco y amiga íntima de Butterworth y de su pareja, el humorista Robert Benchley, recuerda que, tras la muerte de éste, el actor quedó inconsolable. Pocos

meses después, el 14 de junio de 1946, salió con su coche y se mató.

MUERTE POR AGUA

JOHN BOWERS fue el apuesto galán de muchas películas mudas; hoy pocos son los que lo recuerdan. El nombre de Norman Maine, en cambio, es moneda corriente para los cinéfilos —¿quién puede olvidar a Judy Garland afirmando «¡Te presento a la *señora* de Norman Maine!»? Ocurre que Norman Maine era John Bowers o, más bien, la vida y la trágica muerte de John Bowers sirvieron de inspiración a las tres versiones fílmicas de *Ha nacido una estrella*.

Bowers era en realidad John Bowersox, de Indiana, y había entrado en el mundo del cine en 1916. Se había casado con la estrella Marguerite De La Motte, una morenita que había estudiado baile con la Pavlova y que se dio a conocer en muchas películas al lado de Douglas Fairbanks. Bowers y De La Motte actuaron juntos más de una vez: en *Ricardo Corazón de León*, en *Pals in paradise* y en *Ragtime*. Bowers fue uno de los muchos actores sometidos a prueba para el papel protagonista de *Ben Hur*. No consiguió el trabajo y, con el advenimiento del sonoro, su carrera quedó empantanada. De La Motte se divorció de él. Actuó en tres películas habladas —en papeles de ínfima importancia—, pero después no pudo encontrar ni una sola película más.

Perdió todos sus ahorros apoyando una escuela de aviación que se fundió. Alcohólico, cierta vez le confesó a un amigo que se mataría «cogiendo una barca y navegando hacia el crepúsculo». (La navegación era su pasatiempo favorito.) Y fue lo que hizo. A los treinta y seis años, el ex galán alquiló un velero el 15 de noviembre de 1936. Pocos días después la marea depositaba su cuerpo en la playa de Malibu.

La primera versión de *Ha nacido una estrella*, con Janet Gaynor en el papel de Vicki Lester y Fredric March en el

de Norman Maine, se realizó cuando el suicidio de Bowers aún estaba fresco en el recuerdo de muchos, en especial en el de Dorothy Parker, autora del guión. El film es, por supuesto, la historia de la ascensión y la caída de una joven de una pequeña ciudad que alcanza la fama en Hollywood y gana un Oscar. Su marido, un ex astro, se adentra caminando en el Pacífico.

En 1936, se encontró flotando en el río Hudson el cadáver de un vagabundo harapiento y barbudo. Era JAMES MURRAY, figura estelar de *Y el mundo marcha*, una obra de King Vidor que se encuentra entre los mejores films norteamericanos. Murray había nacido en el Bronx y estudiado en Yale, donde participó en un cortometraje estudiantil. Marchó luego a Hollywood para hacer carrera en el cine. Hasta el día en que, hallándose a la puerta de la oficina de repartos de la MGM, atrajo la atención de King Vidor, Murray no había obtenido más que papeles irrelevantes y de extra. Vidor planeaba realizar un film cuyo protagonista, si bien no insulso, fuera «sólo uno de tantos», una excepción dentro de los rostros de Hollywood. Al ver a Murray comprendió que

John Bowers: navegando hacia el crepúsculo

era el hombre que buscaba. Lo abordó, se dio a conocer, le entregó su tarjeta y le pidió que le llamara al día siguiente. Murray no llamó. Vidor le siguió la pista por todo el estudio; resultaba que Murray no se había creído que aquel hombre era realmente el director de *El gran desfile* y pudiese darle un empleo. Le hicieron una prueba y, cuando se la enseñaron a Irving Tharberg, el productor, confirmó a Vidor que se hallaban ante uno de los mejores actores intuitivos que habían desfilado por allí.

Mientras viajaban en tren a Nueva York, donde se rodaría *Y el mundo marcha*, Murray iba enseñándole a Vidor las distintas poblaciones donde había cargado carbón o fregado platos y donde se había metido de contrabando en los furgones para llegar a Hollywood.

Y el mundo marcha se estrenó en el Capitol Theater de Nueva York, donde años antes Murray trabajara de acomodador. Recibió grandes elogios por parte de la crítica y de inmediato se convirtió en un clásico: fue la última gran película muda producida por la MGM. (Involuntariamente creó cierta conmoción por ser la primera película norteamericana en donde aparecía un

water en el cuarto de baño).

A continuación Murray hizo en *Rose-Marie*, junto a Joan Crawford, el papel de Jim, el misterioso soldado de fortuna. Por desgracia, se había convertido en un alcohólico crónico, que no podía parar de beber en el plató y, aunque obtuvo trabajo en otras películas, su carrera declinó con rapidez.

En 1933, Vidor estaba eli-

James Murray: la llamada del río

giendo el elenco de *El pan nuestro de cada día* y pensó en Murray para el papel de protagonista. Nadie sabía en Hollywood dónde se había metido. Un día, en Vine Street, el director fue abordado por un mendigo que pedía dinero para comer. Era Jimmy Murray. Vidor le dio diez dólares y le invitó a cenar en el Brown Derby. Murray se empeñó en sentarse en la barra. Después de la primera copa, Vidor le preguntó si se veía capaz de recuperarse en caso de que le dieran el papel principal en *El pan nuestro de cada día*. Murray respondió que creía que sí. Cuando Vidor agregó que tendría que someterse a sus normas, Murray contestó: «Tú crees que puedes darme órdenes porque te he parado en la calle para pedirte dinero. En lo que a mí se refiere ¡puedes meterte ese papel roñoso donde te quepa!». Se secó los labios con la manga y salió. Vidor no volvió a verlo más.

Hay en *Y el mundo marcha* una escena en la que John Sims (Murray), habiendo tocado fondo, está a punto de suicidarse, pero es retenido por su hijito que le tira de la manga juguetonamente urgiéndolo a seguir adelante. Por desgracia, en la vida real Murray no tuvo a nadie que le tirara de la manga.

JAMES WHALE se dio muerte el 29 de mayo de 1957. Entre 1930 y 1936 este gran director había hecho una docena de las películas más entretenidas y sofisticadas nunca producidas por los estudios de Hollywood.

La nota que dejó Whale fue descubierta por una criada, quien la entregó al representante del director. Al morir *éste*, la nota pasó a manos de David Lewis, compañero de Whale durante muchos años. Whale era homosexual y tenía un círculo de amigos íntimos de ambos sexos, tan brillantes como devotos a él. Pero, más allá de ese círculo, ese artesano difícil, agudo, exigente y cáustico no era muy querido en Hollywood. Por cierto tiempo la nota del suicidio permaneció en secreto y mientras no salió a la luz, circularon insistentes rumores de que algo sucio había en torno a la muerte del director en la piscina de su casa.

Whale había nacido en Inglaterra en 1896. Durante la primera guerra mundial dio sus primeros pasos como actor en un campo alemán de prisioneros de guerra. No le gustaba la guerra; odiaba ser prisionero de los alemanes, pero intentó aprovechar la experiencia. En los años de posguerra trabajó en el London Theater como actor, escenógrafo y director de escena. Montó *Journey's end*, una obra sobre la vida en las trincheras, en Londres y luego en Broadway, obteniendo un gran éxito en las dos ciudades. En 1930, lo trajeron a Hollywood para que llevara la obra al cine. Whale se estableció aquí e hizo una larga serie de películas de distintos géneros, todas cultas y amenas, la mayoría para la Universal.

Su fama se asienta en cuatro magníficos films de horror y fantasía: *Frankestein* —fue Whale quien eligió a Boris Karloff para interpetar al monstruo—, *La novia de Frankestein, El caserón de las sombras* y *El hombre invisible*. Todas ellas llevan el sello personal de Whale: amanerado humor negro, trabajo de cámara ágil y estilizado y montaje de gran precisión. Los restantes films que dirigió en los años treinta dan sobradas pruebas de gusto, imaginación y adecuada dirección de actores: *Recuerdo de una noche*, una deliciosa comedia melodramática; *El puente en Waterloo, A la luz del candelabro, El beso ante el espejo, The great Garrick, Estigma liberador*, soberbio melodrama judicial; y la elegante, minuciosa *Show Boat* con Irene

Dunne, Helen Morgan y Paul Robeson. La de Whale es, con mucho, la mejor de las tres versiones cinematográficas de este musical de Jerome Kern. Tan bien recibido por la prensa como por el público, rindió cuantiosos beneficios y pasó a ser la película estelar de la Universal en 1936. Pero para el director de tantas obras maestras se avecinaban problemas.

Bajo la batuta de los sultanes Carl Laemmle y Carl Laemmle Jr., Whale había disfrutado en el estudio de amplia libertad creativa.

James Whale: la primera y última vez que se metió en su piscina

265

Como los films se vendían bien, le permitían elegir los actores y dirigirlos a su modo; sólo se supervisaba el producto final. En 1935, Laemmle se vio obligado a vender la Universal y Junior tuvo que renunciar a su puesto de jefe de producción. Uno de los mayores triunfos de Junior había sido *Sin novedad en el frente* (1930), basada en la famosa novela antibélica de Erich Maria Remarque. Había ganado dos Oscars a la mejor película y al mejor director y contribuido mucho a aumentar el prestigio de la Universal. Aún hoy se la considera como una de las mejores películas sobre la primera guerra mundial. En 1936, asignaron a Whale la dirección de otra obra de Remarque sobre la guerra, situada en Alemania, *De regreso*.

En pleno rodaje del film, el cónsul alemán en Los Angeles se dirigió por carta a los veinte actores principales, al equipo de producción y a los ejecutivos de la Universal, amenazando con boicotear la actividad posterior de los implicados en aquel rodaje; serían boicoteados en Alemania para siempre si no abandonaban la película. El rodaje terminó según lo previsto. La revista «Life» envió a sus críticos al preestreno, nombró la obra

Película de la Semana y le dedicó un encendido elogio. Entretanto, el Ministerio nazi de Propaganda había aumentado la presión sobre la Universal: si *De regreso* se distribuía sin cambiar drásticamente algunas secuencias, en Alemania se impediría la difusión de cualquier film pasado y futuro de la Universal. Todo lo que se considerase ofensivo para la Raza Dominante debía someterse a censura.

Charles R. Rogers y J. Cheever Cowdin, que habían comprado el estudio a la familia Laemmle, se rindieron a los nazis sin chistar. Con este escándalo del Hollywood de 1937 —infinitamente más repulsivo que una historia de drogadicción o que las peculiares inclinaciones de ciertas estrellas—, Adolf Hitler se permitía dar órdenes a un estudio cinematográfico norteamericano (fundado por judíos) de cómo debía hacer las cosas. El film se retiró del circuito comercial y fue adecentado; secuencias enteras fueron cortadas. El total de cortes fue de veintiuno, y las secuencias eliminadas se reemplazaron por estúpidas escenas de humor interpretadas por un cómico de segunda, Andy Devine. En realidad, la película fue rehecha por otro director, Ted Sloman, y otro montador, de tal modo que acabó por obtener la venia del gobierno nazi. Whale, que odiaba la guerra y aún más a los nazis, no salía de su perplejidad. Habían estropeado *De regreso*, originalmente una de sus mejores obras. Sólo la versión cortada y manipulada sobrevive hoy.

Amargado, el director aceptó entonces trabajo para la MGM y la Columbia, cuyos respectivos burócratas le asignaban flojos guiones que no le permitían mejorar. El no solía tener tacto con los productores y pronto perdió todo interés en hacer películas sobre las cuales no tenía control creativo alguno. Sus últimas obras llevan apenas la impronta de su genialidad: Whale no sabía qué hacer con historias de tercera clase como las de *They dare not love* o *Green Hall*, protagonizada por George Sanders, otro suicida.

Pese a que Whale había invertido razonablemente en acciones y propiedades, su vida empezó a desmoronarse. Poco después de llegar a Hollywood, había conocido a David Lewis, un actor joven y bien parecido que más tarde, en la MGM, llegaría a ser ayudante personal de Irving Thalberg.

Whale compró una casa en el 788 de Amalfi Drive, Paci-

fic Palisades (entre Beverly Hills y Malibu), y Lewis se fue a vivir con él.

En la MGM, como productor ejecutivo de un film con la Garbo *Camille*, y de otras obras importantes, Lewis disfrutó de una trayectoria triunfal. Tras la muerte de Thalberg, trabajó un tiempo para la Warner Bros, donde fue productor asociado de *King's row* (en la que Ronald Reagan desempeñó su mejor papel: «¿Y dónde está lo que queda de mí?») y de *El cielo y tú* con Bette Davis. Su última gran película fue *El árbol de la vida*.

Hacia comienzos de los

Barbara Bates: abrió la llave del gas

años cincuenta la relación con Whale se había desinflado. Whale pasó un año en Europa donde conoció a un joven francés llamado Pierre Foegel, a quien contrató como chofer y acompañante. De regreso en Hollywood, anunció que instalaría a Foegel en la casa que compartía con Lewis. Lewis se largó, no sin que antes se produjeran algunas escenas amargas. Foegel no tardó en trasladarse, y Whale le puso una gasolinera.

Fue más o menos por esa época cuando Whale se hizo construir una piscina. Como no sabía nadar, la piscina servía sobre todo para las fiestas en las que el director disfrutaba viendo a los jovencitos en bañador. En esas fiestas al lado de la piscina, Whale solía leer a sus invitados un diario íntimo de sus fantasías sexuales homosexuales. No a todos les hacía gracia.

Profesionalmente era un hombre olvidado. Al no trabajar en el cine, se dedicó a pintar. Al parecer nada le interesaba más en la vida que los puros de calidad; cuando una vez su casa empezó a incendiarse, él se metió en el edificio en llamas y salvó, no las pinturas, sino una caja de sus inapreciables habanos.

La salud de Whale empezó a flaquear en 1956. Sufrió varios achaques y lo tuvieron que hospitalizar; innecesaria y estúpidamente, le sometieron a un tratamiento de electroshocks. A principios de 1957, le dieron de alta, pero ya no podía pintar, ni conducir, ni leer un libro. Su existencia carecía de sentido. Hacia finales de mayo, había tomado ya la decisión. El director de *Frankestein* encontraba que la vida se había convertido en algo demasiado monstruoso para ser vivida, a pesar de su riqueza y de su brillante entorno. Se puso su traje favorito y se sentó en su gabinete a escribir una nota:

A TODOS LOS QUE QUIERO
No me compadezcáis. Tengo los nervios destrozados y desde hace un año, día y noche, me siento agonizar, salvo cuando las píldoras me hacen dormir... He gozado de una vida maravillosa, pero se ha acabado y mis nervios están cada vez peor y me temo que al fin tendrán que volver a internarme... El futuro no es más que vejez y dolor... Mi último deseo es ser cremado para que nadie pueda llorar sobre mi tumba. Nadie tiene la culpa.

Jimmy

Metió la nota en un sobre y la dejó encima del secante de su escritorio. Después, caminó hasta la piscina y, arrojándose a la parte menos honda, se rompió la crisma contra el fondo.

Era la primera y última vez que Whale utilizaba su piscina.

LAS CHICAS DEL GAS

BARBARA BATES, modelo nacida en Denver en 1925, debutó cinematográficamente en *Salome, where she danced*, un film absurdo, el típico producto para culturistas ñoños. (También aparece en él Albert Dekker, otro candidato al suicidio.) La muchacha se buscaba una «imagen» y le aconsejaron que se tiñera de rubio. Cuando en 1947 firmó con la Warner Bros., el productor William Orr le advirtió: «Tú no eres el tipo para una rubia. Sé tú misma». Rubia o morena, demostraría ser una chica muy desequilibrada.

Trabajó en la Warner dos años; uno de sus mejores papeles fue en *June bride* con Bette Davis. Compartió el papel estelar con Danny Kaye, en *El inspector general*, pero por insistencia de Sylvia Fine, señora de Kaye, se suprimieron muchos metros de película en los que salía Barbara. Se sentía desdichada en la Warner y tuvo problemas personales. Hizo entonces el primero de una serie de intentos de suicidio, pero Los Angeles es una ciudad de cotillas, y el estudio se cuidó de mantener a los periódicos alejados. Para la Fox trabajó en *Trece por docena* y apareció en una escena clave al final de *Eva al desnudo*, encarnando a Phoebe, la ambiciosa muchacha que trata de congraciarse con Ann Baxter. (Obviamente Phoebe es una Eva en potencia.) Su papel en ese memorable film era breve, pero gracias a él la recordaremos siempre. (*Eva* fue una película SSS, o «tres veces suicida»; además de Barbara, integraban el reparto George Sanders y Marilyn Monroe.)

A continuación Bates participó en *Marino al agua* de Richar Quine. (Este fue SS, ya que junto a Barbara aparece Ray McDonald.) El director Quine señaló: «Se trabajaba bien con ella, pero tenía tendencia a la depresión». En 1953 hizo el papel de novia de Jerry Lewis en *El caddy* y en 1954 la MGM la contrató para hacer de estudiante de música junto a Elisabeth Taylor en *Rapsodia*. Los problemas personales empezaron a interferir en la labor profesional: la retiraron de dos películas importantes cuando ya se había iniciado el rodaje. Su última película fue *Apache territory* (1958) para la Columbia. Se la veía cansada; su fulgor se había apagado. Su marido, un inglés bastante mayor que ella llamado Coan, murió de cáncer. Bates consiguió un trabajo de asistente en un consultorio dental. Cortó todos los vínculos con Tinseltown y regresó a Denver, donde encontró trabajo en un hospital y se casó con un novio de la infancia. Poco después, el 18 de marzo de 1969, abrió la llave del gas.

En junio de 1951, el sultán de la Fox Darryl Zanuck y su esposa Virginia se encontraban en París. Una mañana vieron a un actor amigo de ellos, Alex D'Arcy, sentado en la terraza de un café de los Campos Elíseos. (D'Arcy era especialista en papeles de gigoló.) Lo acompañaba una

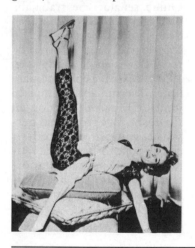

Bella Darvi: gas en Montecarlo

muchacha muy sensual que de inmediato interesó a Zanuck. De todos los caciques algo «marranos» de Hollywood, Zanuck era el que tenía mejor olfato para descubrir intérpretes. La muchacha era Bayla Wegier, nacida en Polonia. A los doce años, los nazis la habían encerrado en un campo de concentración. En 1950, se había casado con el acaudalado comerciante Alban Cavalade y junto a él había conocido todas las mesas de juego de la Riviera. Pronto se divorciaron.

Al día siguiente del encuentro en los Campos Elíseos, Bayla envió un ramo de flores a *Mrs.* Zanuck. Poco después, Mr. Zanuck empezó a «mimar» a la polaquita. Ella le contó que había tenido que vender toda su ropa para pagar deudas de juego. Zanuck le dio 2.000 dólares para cancelar sus deudas con los casinos y la invitó a Hollywood. Llegó a Tinseltown en noviembre de 1952 y fue directamente a la casa de Zanuck en la playa de Santa Mónica. Susan Zanuck —hija del magnate— y la polaca advenediza se odiaron a primera vista. Zanuck le hizo una prueba a Bayla y cambió su nombre por el de BELLA DARVI, de Darryl y Virginia. (Se dice que durante un tiempo los Zanucks y Darvi formaron un *ménage à trois*. Lo cierto es que Mrs. Zanuck había hecho sus pinitos en el cine en su juventud: bajo el nombre de Virginia Fox había actuado junto a Buster Keaton en varios cortos hechos por el gran cómico a principios de los años veinte.)

El departamento de publicidad de la Fox se volcó a propagar la acostumbrada recua de mendaces imbecilidades en torno a la nueva actriz, todo lo cual fue debidamente recogido por los periódicos. El «New York Journal-American» de Hearst informó a sus lectores que «una explosión equivalente a la de una carga de TNT se había producido en Hollywood con la reciente llegada de una muñeca francesa que respondía al nombre de Bella Darvi, tenía la voz de Marlene Dietrich, los ojos de Simone Simon y la pinta de Corinne Calvet. Posee chispa, casta y ángel, y en el *parlez-vous* es arrebatadora, *chichi* y *très élégante*».

Zanuck encerró a la «muñeca francesa» en un submarino, en el papel de hija de un científico francés destinado a una misión secreta en aguas del Ártico junto a una banda de adustos marineros. La película era *El diablo en aguas turbias* de Samuel Fuller.

Luego la eligió para la cortesana Nefer en la versión en cinemascope de *Sinué, el egipcio*, best-seller de Mika Waltari. El co-protagonista debía ser Marlon Brando. Se acordó programar unas cuantas lecturas con los dos actores antes de empezar el rodaje. La noche después de su primera sesión de lectura con el director Michael Curtiz, Zanuck recibió una llamada telefónica del agente de Brando. Marlon acababa de marcharse a Nueva York, había decidido no hacer la película. «No puede soportar a Bella Darvi», informó el agente del actor.

A Zanuck le picó lo que los franceses llaman *le démon du midi*, sin eufemismos: la locura menopáusica del macho maduro. Empezó a comportarse como un colegial enfermo de amor. En una fiesta de disfraces en el Ciro's para dar la bienvenida a Terry Moore, que había estado entreteniendo a «los muchachos» en Corea, totalmente borracho se quitó los tirantes y empezó a hacer números de acrobacia encima de la mesa. Quería demostrar que aún gozaba de las fuerzas de un potrillo. Los fotógrafos se pusieron las botas. Virginia tuvo que llevárselo a casa a rastras. Al día siguiente, Zanuck telefoneó a su amigo Henry Luce de Nueva York para pedirle que borrara todo testimonio gráfico de sus payasadas. Sin embargo, «Life» publicó toda una página de fotos del magnate haciendo *el indio* en el trapecio. Susan le aseguró a Virginia que el comportamiento del marrano de su papá se debía a su encoñamiento con la Darvi. Virginia echó a Bella de la casa.

Y el público la echó de la pantalla. Por mucha alharaca que armara el estudio, los cineadictos no la tragaban. No había clubs de admiradores de Bella Darvi. Era como si su «chispa, casta y ángel» se es-

fumaran en el trayecto entre la oficina de distribución de la Fox y las salas de cine. Los críticos hablaron de ella con expresiones como «poco convincente», «falta de encanto», «sin toque alguno de magnetismo» e «incapaz de aportar algo al film». *Sinué, el egipcio* fue juzgada como una «ridícula y pretenciosa parodia».

Bella regresó a Francia. Zanuck fue tras ella. Era el comienzo del fin de su carrera (si bien es cierto que al menos una vez más se apuntaría un triunfo con *El día más largo*). Había sido jefe de producción de la Fox durante veinte años. Pero los tiempos estaban cam-

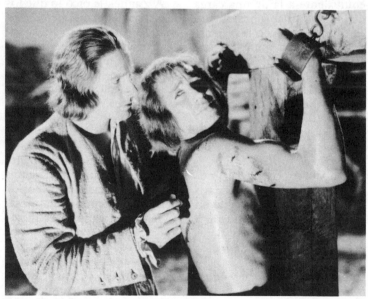

Ross Alexander: reemplazado por Reagan

biando; el viejo Hollywood estaba por irse al traste. En lugar de permanecer sobre el terreno para consolidar su posición, Zanuck se había largado a Europa detrás de un par de piernas. En 1956, renunció a su cargo de jefe de producción de la Fox. Haría películas independientes —cuyos guiones podrían haber sido escritos especialmente para su amante.

Darvi volvió muy pronto a las mesas de juego de Montecarlo, y perdió una fortuna. Zanuck andaba mal de dinero. Tuvo que pedirle prestado a Howard Hughes para pagar las deudas de Bella. Y el romance, tuvo un final amargo. Zanuck se consoló entre los brazos de Juliette Greco, y luego entre los de Irina Demick y más tarde entre los de Geneviève Gilles.

Darvi intentó suicidarse en Mónaco en agosto de 1962, en Roquebrune en abril de 1966 y en su hotel de Montecarlo en junio de 1968, y fracasó en cada uno de los intentos. La encerraron entonces en una clínica de la Costa Azul. Tenía la cara abotargada, llena de manchas y espinillas; ya no era ni *chi-chi* ni *très élégante*. El Hotel de París de Mónaco le había confiscado la ropa a cambio de una factura impagada. Zanuck se ocupó de saldar la deuda. Ella se apresuró a volver al tapete y encontró un nuevo acompañante dispuesto a tapar agujeros... temporalmente.

Pronto se halló en la ruina, sin amigos y abrumada de deudas. Zanuck ya no estaba dispuesto a sacarla de apuros. El telón caería para ella el 10 de septiembre de 1971. Abrió los grifos del gas de la cocina de su modesto apartamento de Montecarlo. Una semana después, descubrieron su cadáver ya descompuesto.

En 1931, el público tuvo oportunidad de ver a una graciosa adolescente ingenua — CLAIRE MAYNARD— en dos películas de la Fox: *Over the hill*, lacrimógeno sermón de Henry King sobre el amor materno, protagonizado por Mae Marsh y James Dunn, y *Good sport*, en la cual Miss Maynard aparecía junto a John Boles, Minna Gombell y Hedda Hopper. La exigua rubia había nacido en Brooklyn y había captado la atención de un buscador de talentos de la Fox durante un pase de modelos en una boutique. La Fox no le renovó el contrato y, tras unos años trabajando en un escenario, Claire sintió que había llegado al tope y que carecía de temple para tomárselo con calma. Abrió la

273

llave del gas en el mes de julio
de 1941.

26 DISPAROS EN MEMORIA DE
LOS SUICIDAS DE HOLLYWOOD

Alto, buen mozo y elástico,
ROSS ALEXANDER había nacido
en Brooklyn en 1907. Actuó
en una comedia de Broadway
titulada *Let us be gay*, fue
contratado por la Paramount
y vino a Hollywood en 1932.
La mayor parte de su carrera
posterior transcurrió en la
Warner Bros., donde sus
films más importantes fueron
Flirtation walk de Frank Borzage, en el papel de Oskie;
*Sueño de una noche de vera-
no*, de Max Reindhart, donde
era Demetrio, y *El capitán
Blood* de Michael Curtiz, en
la cual secundaba a Errol
Flynn encarnando a Jeremy
Pitt. Su primera esposa, la actriz Aleta Freel, no tuvo una
carrera muy afortunada; en
1935 se mató con un rifle.

Alexander se casó entonces
con otra actriz de la pantalla,
Anne Nagel, que apareció con
él en varias películas. El 2 de
enero de 1937, abrumado por
las deudas, el actor, con veintinueve años, entró al establo
de su rancho y se pegó un tiro
en la cabeza. Meses después,
Ronald Reagan iniciaba su carrera en la Warner. Se dijo en
más de una ocasión que el estudio contrató a Reagan para
sustituir a Alexander, y que
su voz y sus gestos se parecían
a los del actor difunto. (Los
dos tenían una voz de locutor
radiofónico.) La diferencia
estribaba en que Alexander
poseía talento y encanto.

Aunque siempre se consi-
deró a PEDRO ARMENDARIZ
como un actor mexicano, su
madre, Della Hastings, era
norteamericana. Cuando ella
murió, Pedro se fue a vivir
con sus parientes a San Antonio y más adelante estudió in-
geniería en la Politécnica de
California. Una vez se hubo
convertido en el super galán
de México, actuó en los Estados Unidos en más de cua-
renta películas. Su presencia
viril apuntaló una buena cantidad de películas de John
Ford: *The fugitive, Fort Apache, Three godfathers*. Apareció en *We were strangers* de
John Huston e hizo el papel

Pedro Armendáriz: disparo en el hospital
Don «Red» Barry reservó para sí la última bala →

de Sultán en el *Francisco de Asís* de Michael Curtiz. En 1952, le concedieron un Oscar mexicano. En 1955, trabajó en *El conquistador de Mongolia*, un film «maldito» sobre Genghis Khan, protagonizado por su amigo íntimo John Wayne y rodado en Nevada, muy cerca del lugar donde acababa de realizarse una prueba nuclear. Tanto el director de la película, Dick Powell, como dos de las estrellas principales, Wayne y Agnes Moorehead, morirían de cáncer de pulmón; la protagonista —Susan Hayward—, de un tumor cerebral. Mientras trabajaba en *De Rusia con amor*, Armendáriz se enteró de que tenía cáncer linfático. El 18 de junio de 1963, una vez ingresado en el Centro Médico de la Universidad de Los Angeles, se pegó un tiro con el revólver que había logrado introducir de escondidas. Mrs. Armendáriz aseguró que su esposo llevaba casi siempre un revólver encima.

DONALD «RED» BARRY vino al mundo en 1912, en Houston, con el nombre de Donald Barry D'Acosta. En la escuela secundaria fue astro del fútbol, más tarde adquirió cierta experiencia escénica y en 1936 debutó en el cine con un chabacano producto de la RKO titulado *Night waitress*. Su carrera no se consolidó seriamente hasta 1940, cuando obtuvo el papel estelar de una serie, *The adventures of Red Ryder*, convirtiéndose así en habitual intérprete de historias del Oeste. Un sondeo de popularidad realizado por el «Motion Picture Herald» en 1942 lo destacó como uno de los diez vaqueros de ficción más taquilleros del momento.

Participó en *Sinners in paradise*, dirigida por el también suicida James Whale, así como en varios films de Howard Hawks: *Avidez de tragedia*, *Sólo los ángeles tienen alas* y *Río Lobo*. Durante la histeria anticomunista del período McCarthy, los productores le pidieron que cambiara de nombre («Red» significa «Rojo»). Cuando Barry se negó, las revistas de fans publicaron artículos explicando que el apodo de «Red» no provenía de las inclinaciones políticas del actor, sino de su cabello pelirrojo, tan reluciente como el de Susan Hayward —con quien actuó en *I'll cry tomorrow*. En 1953, Barry dirigió y protagonizó *Las mujeres de Jesse James*. Es posible verle asimismo en *Orca* y *SOS tidal wave*.

Se casó con la actriz Peggy Steward. El 17 de julio de 1980, después de una discusión con su esposa, «Red» Barry se disparó un tiro y se dio muerte.

El guionista, productor y director PAUL BERN escribió guiones para Lubitsch (*The marriage circle*) y Von Sternberg antes de llegar a ser primer asistente de Irving Thalberg en la MGM, donde supervisó la producción de muchos films de Greta Garbo. Cuando en 1932 se casó con Jean Harlow, tenía el doble de años que ella. Parece ser que este hombre lleno de talento era impotente. Tan sólo dos meses después de la boda, se incrustó una bala en el cráneo con una pistola calibre 38 en el dormitorio de su mujer. En la nota dejada por Bern, pedía disculpas a la Harlow por lo

Paul Bern: decepcionó a la Harlow

ocurrido la noche anterior. Al parecer, había intentado penetrar a la estrella rubia platino con un consolador.

HERMAN BING fue uno de los cómicos más adorables y divertidos de la historia del cine. Había nacido en Frankfurt; su padre, Max Bing, era un famoso barítono lírico. Herman había actuado en circos y espectáculos de vodevil en Alemania. En 1926, llegó a Hollywood en la comitiva del gran director germano F.W. Murnau, a quien la Fox había invitado a visitar los Estados Unidos. Murnau hablaba el inglés muy mal, y Bing le hacía de intérprete. Trabajó para Murnau como guionista y asistente de dirección, sin por ello dejar de servirle de recadero y chivo expiatorio.

El día en que Murnau se mató en un accidente automovilístico cerca de Santa Barbara, Bing y un grupo de amigos iba en otro coche pocos metros detrás. (Murnau se dirigía a Nueva York para asistir al estreno mundial de *Tabu*. Un astrólogo le había advertido que no viajara en automóvil, pues, de hacerlo, sufriría un accidente catastrófico. Cambió sus planes, decidió embarcarse en San Francisco y llegar a Nueva York por el Canal de Panamá. El fatal accidente tuvo lugar camino del barco.)

Muerto Murnau, Winfield Sheehan, jefe de producción de la Fox, le ofreció a Bing un trabajo de actor. Bing hacía vibrar las erres con increíble intensidad y no tardó en conquistar al público sometiendo de un modo cómico el idioma inglés a una deliciosa mutilación cómica. Lo llamaban «el dialéctico de la lengua oscilante». Su voz fue una vez comparada a la de un perro grifón hablando en sueños.

Bing apareció en docenas de películas, entre ellas *Cena a las ocho*, *The Bowery*, *La comedia de la vida*, *El gato negro*, *Desfile de candilejas* —es una delicia verle, en el papel de director musical de James Cagney, recitar al estilo Bing los nombres de todas las canciones que recuerda cuyo título incluye la palabra «gatita», *The music goes round*, *The Great Ziegfeld*, *Primavera*, *Every day's a holiday* con Mae West y *El gran vals*.

Durante los años treinta actuó con frecuencia en espectáculos teatrales montados en salas de la cadena Loew, especialmente en el Loew's State de Nueva York, cuyo público tenía por él especial debilidad.

Durante los años cuarenta, sin embargo, ya no le fue tan fácil encontrar trabajo. Su hija dijo: «Papá deambulaba de un estudio a otro pidiendo empleo, pero su tipo de humor había pasado de moda. No es que necesitara dinero. Simplemente no podía soportar la inactividad. Tenía que actuar y, cuando ya no pudo obtener papeles, empezó a sentirse nervioso y desgraciado».

El 10 de enero de 1948 su hija y su yerno estaban desayunando en su casa de Los Angeles cuando oyeron un estampido. Bing se hallaba de visita. Se precipitaron a su dormitorio y encontraron al pobre hombre en el suelo con una herida en el corazón y un anticuado revólver en la mano. La nota dirigida a su hija era suscinta: «Querida Ellen, ¡ese insomnio! Voy a tener que suicidarme. Papá». Su última película se había titulado *¿Y adónde vamos ahora?*

CLYDE BRUCKMAN fue una de las figuras clave en la historia de la comedia cinematográfica norteamericana. Su primer trabajo consistió en escribir guiones para el comediante Monty Banks. En 1921, pasó a colaborar con Buster Keaton, quien siempre lo recordaría como a su creador de gags con más talento. Keaton y Bruckman siguieron siendo amigos toda la vida. Para Keaton, Bruckman es-

cribió *Las tres edades, La ley de la hospitalidad, Sherlock Holmes, El navegante, Siete oportunidades* y *El cameraman*, entre otros. El mejor film de Keaton, *El maquinista de «La general»*, no sólo fue escrito por Bruckman sino también codirigido por él. Los guiones que hizo para Harold Lloyd son *Casado y con suegra, Professor beware, La garra del gato, Welcome danger, ¡Ay, que me caigo!* y *Cinemanía*. Se adaptaba fácilmente al ritmo y temperamento de cada uno de los cómicos con los que colaboraba, y siempre supo extraer las mejores cualidades de cada actor. (*Movie crazy*, por ejemplo, no sólo es el mejor film so-

noro de Lloyd, sino también una de las mejores sátiras de Hollywood que se han hecho hasta hoy. Hay en ella además algunas situaciones románticas de asombrosa complejidad.)

Bruckman dirigió algunas de las mejores películas de Stan Laurel y Oliver Hardy: *Putting pants on Philip*, en la cual intercaló una serie de escandalosos gags homosexuales, *La batalla del siglo*, que incluye la mejor secuencia de pasteles de nata que pueda verse, *Leave'em laughing* y *The call of the cuckoo*. Dirigió además a W.C. Fields en dos de sus obras memorables: *The fatal glass of beer* y *The man on the flying trapeze*.

A medida que avanzaban los años treinta, el progresivo alcoholismo de Bruckman le fue quitando trabajo en producciones de categoría. Trabajó entonces en películas de serie B, escribió guiones para la serie basada en el personaje de «Blondie» y colaboró en algunos cortos realizados por Keaton para la Columbia. Cuando vendió a la Universal algunos gags originalmente escritos para películas de Lloyd, que el estudio utilizó en 1945 para una producción barata con Joan Davis, *She gets her man*, Harold Lloyd, que era multimillonario, puso

Herman Bing: cura para el insomnio

una querella contra la Universal y pidió varios millones de dólares por daños y perjuicios. Este incidente le supondría a Bruckman dificultades para encontrar empleo. Escribió varios guiones mediocres para Los Tres Chiflados y para el show televisivo de Keaton. Pronto iría convirtiéndose en un elemento familiar del paisaje de Hollywood: una figura tambaleante, el corcho de una botella asomando siempre de un bolsillo. En 1955, le pidió prestada a Keaton una pistola «para hacer un poco de tiro al blanco». Escribió a su esposa una nota en la cual le explicaba que iba a buscar un lugar fuera de casa porque no quería estropearle un salón tan bonito. Y añadió: «No tengo dinero para pagar el entierro». Fue entonces hasta una cabina telefónica de Santa Monica Boulevard y se voló la tapa de los sesos.

Refiriéndose a los años veinte, Bruckman manifestó en cierta ocasión: «Muchas veces desearía volver con Buster y el resto de la pandilla al Hollywood de *aquella* época. Pero no tengo la lámpara de Aladino. Sólo hubo una de este tipo».

WILFRED BUCKLAND, fue el primer gran director artístico de Hollywood y fue llamado «fundador del arte cinematográfico de Hollywood». Antes de que él llegara a Hollywood, Cecil B. De Mille nunca había recurrido a un asistente dedicado específicamente al diseño de decorados. Fue la madre del director quien le recomendó a Buckland, pues éste había sido responsable de la belleza escénica de los montajes teatrales de David Belasco. Durante años, Buckland trabajó siete días a la semana y ocho horas diarias, enfrentado a menudo en ásperas discusiones con De Mille.

Son varias las innovaciones decisivas que se le deben atribuir, entre ellas el uso de la lámpara Klieg. El fue quien concibió la iluminación interior en la industria cinematográfica norteamericana. Hasta entonces, los directores confiaban en la luz natural. El empleo que hizo Buckland de las lámparas de arco voltaico produjo por primera vez en la pantalla una iluminación dramática. Fue el responsable de los decorados de tres películas de De Mille: *La marca del fuego, Juana de Arco* con Geraldine Farrar y *Macho y hembra* con Gloria Swanson. Los cuartos de baño de las heroínas de De Mille, concebidos como «altares» de la belleza femenina, fueron íntegramente diseñados por Buckland. De Mille lo trataba generalmente de una manera abominable; durante años, ese hombre mezquino pagó tan sólo 75 dólares semanales a su director artístico. Después de muchas amargas discusiones, Buckland se separó de De Mille a mediados de los años veinte. Como diseñador independiente, su mayor logro fue la monumental escenografía para el *Robin Hood* de Douglas Fairbanks (1922).

En los años siguientes, cumplió algunos encargos de la MGM, e incluso con más de ochenta años, seguía yendo cada día al estudio en busca de trabajo. El anciano era por entonces vagamente parecido a Teddy Roosevelt. En Europa una figura como la de Buckland habría recibido todos los honores por su contribución al arte cinematográfico. En Hollywood, pasó sus últimos años olvidado y sin trabajo. La Depresión lo había dejado sin un céntimo.

Su único hijo, Wilfred Buckland Jr. (llamado Bill), se había marchado a Princeton y mezclado con la alta sociedad. Tras la desaparición de la fortuna familiar y la muerte de su madre, la encantadora actriz Vida Buckland, que murió de cáncer, Bill sufrió una crisis nerviosa. Lo único que sabía hacer un poco era jugar al tenis (por un tiempo pensó que podía ganarse la vida como entrenador). Era homosexual y se sentía culpable porque su padre lo desaprobaba ferozmente. Se volvió alcohólico. Cuando lo encontraron en Hollywood Boulevard sollozando en pleno estupor alcohólico, lo internaron en Camarillo, un instituto estatal para dementes, donde recibió un tratamiento de electroshocks que le hizo más mal que bien. Cuando le dieron de alta, un viejo amigo suyo, Jesse Lasky Jr., le consiguió un empleo de botones en el plató donde De Mille rodaba *Policía montada del Canadá*. Una vez terminada la película, Bill volvió a encontrarse sin trabajo y le dio otra vez por la botella.

Arthur Edmund Carew: un deslumbrante Svengali

Para el viejo Wilfred estaba claro que su hijo nunca llegaría a encarrilarse del todo —y que jamás sería un hombre «normal». Cayó en la cuenta de que él mismo no tenía mucha vida por delante y sabía que, cuando muriese, nadie se haría cargo de su hijo alcohólico y homosexual. El 18 de julio de 1946, mientras Bill dormía, su padre le disparó un tiro en la cabeza con una Mauser automática calibre 32 y después se disparó a sí mismo. La nota que dejó decía: «Me llevo a Billy conmigo».

Buckland tenía fama de gran tirador. Uno de sus refugios favoritos era la sala de tiro en el sótano. Le encantaba enseñar a los jóvenes cómo manejar una pistola. Un artículo, publicado en 1917, en «Picture Play» concluía de esta manera: «Su hobby es el tiro, y en las paredes de su casa hay armas de fuego de todas las hechuras desde el tiempo en que las inventaron. Tiene tanto el largo mosquetón árabe como el trabuco más corto. Por más atareado que esté en el estudio, no deja pasar semana sin disparar».

El actor JAMES CARDWELL se mató de un tiro en Hollywood el 4 de febrero de 1954. Tenía treinta y tres años y había aparecido en *Eran cinco hermanos, Secuestro, Orden: caza sin cuartel* y *Tierra generosa* y había encarnado al sargento Hoskins en un film de Lewis Milestone: *A walk in the sun.*

ARTHUR EDMUND CAREW había nacido en Armenia, emigrado a los Estados Unidos cuando niño y actuado ocho años en el teatro. Se introdujo en el cine en 1919, en films con Constance Talmadge, pero, pese a su inquietante apariencia de galán, por algo intenso y lúgubre en sus gestos lo fueron progresivamente asociando con películas de terror y melodramas, donde hacía sobre todo papeles de malvado. Es posible verlo en *The palace of darkened windows, El fantasma de la Opera,* donde interpreta a El Persa, *El castillo maldito, The claw, Dr X* y *Los crímenes del Museo de Cera.* La última película en que actuó fue *El secreto de Charlie Chan,* en 1936. También apareció en la primera película norteamericana de Greta Garbo, *El torrente* y en *The gay diplomat.*

Carew alcanzó la cima de su carrera en *Trilby* (1923), donde encarnó a Svengali. Fue todo un éxito de público y crítica. Bajo el título de «Un Svengali Saturnino», el «New York Times» señalaba: «Pero

por más encantadora que sea la Trilby encarnada por Andrée Lafayette, lo que domina el film es la reveladora interpretación que Arthur Edmund Carew hace de Svengali. Su maquillaje es tan auténtico como el acero. Tiene los dedos largos, la afilada nariz aguileña, las cavernosas mejillas cadavéricas, la barba negra e hirsuta y el pelo enmarañado del Svengali del libro. Sus ojos negros son relucientes y horribles». Poco después de rodar *El secreto de Charlie Chan*, sufrió un ataque de parálisis y acabó con su vida de un tiro el 23 de abril de 1937.

El primer film de LESTER CUNEO fue *Graustark* con Francis X. Bushman. Actuó también en *The haunted pajamas*, y más tarde conoció a Francelia Billington cuando los dos trabajaban en una película de Tom Mix. Se casaron y aparecieron juntos en unos cuantos largometrajes. Cuneo era un apuesto cacho de carne típico del cine mudo; a menudo hacía de malo, pero por lo general resultaba más atractivo que el héroe. Su matrimonio se vino abajo. El 1 de noviembre de 1925, pocos días después de que su mujer pidiera el divorcio, Cuneo fue

Karl Dane: un acento incorregible

a la casa que habían compartido, discutió ruidosamente con ella y se pegó un tiro. Lester Cacho de Carne murió a los treinta y siete.

KARL DANE, nacido en Copenhage en 1886, era un tipo alto, simpático y desgarbado que había llegado a Hollywood durante la primera guerra mundial y se había integrado al reparto de dos films de propaganda antialemana: *My four years in Germany* y *To the hell with the Kaiser*. Su carrera cinematográfica no fue gran cosa hasta 1925, cuando causó gran impacto en el papel de Slim, temerario reparador de chimeneas que es reclutado por el ejército y muere en tierra de nadie en *El gran desfile* de King Vidor. La película fue un rotundo éxito; en el teatro Astor de Broadway estuvo en cartel dos años seguidos, contribuyendo en gran medida a cimentar la MGM como un gran estudio. «*El gran desfile*», declaró Vidor, «impulsó a Karl Dane escalera arriba hacia la fama».

Los peldaños eran resbaladizos. Dane actuó junto a Tom Mix, luego junto a Marion Davies y desempeñó el papel de un moro astuto junto a Valentino en: *El hijo del jeque*. Hacia el final de la era del cine mudo, participó en una serie de populares cortos humorísticos en pareja con George K. Arthur. Su última película importante fue *El presidio*, de George Hill en 1930.

Por desgracia, Dane no pudo librarse de su impenetrable acento danés. Hizo un serial de ínfima categoría, pero la ex estrella de la MGM terminó vendiendo *hot dogs* frente a la entrada principal del estudio. El 14 de abril de 1934, cogió una pila de viejos recortes de prensa, las reseñas más elogiosas, los contratos con la MGM, y lo esparció todo encima de la mesa de su deprimente hogar. Apoyado en los recortes, se alojó una bala en la cabeza.

BOB DUNCAN, nacido en Kansas en 1904, fue un vaquero-estrella de tercera división que durante los años cuarenta trabajó en varios westerns (*Tumbleweed Trail, Rainbow over the Rockies, Song of the sierra*) para productoras como la Monogram o la PRC. El 13 de marzo de 1967, se pegó un tiro con su propia pistola.

El apuesto rubio de Texas TOM FORMAN irrumpió en el mundo del cine con Lasky, para luego ser actor y director de varias películas de la Paramount. Hizo pareja con Gloria Swanson en el film de De Mille *Abnegación* (1919) y dirigió a Lon Chaney en *Shadows* (1922). Se estaba recuperando de una crisis nerviosa en la casa de sus padres en Venice, California, cuando, el 7 de noviembre de 1926, apuntó un arma a su corazón y apretó el gatillo. Murió a los treinta y cuatro años. Dana Viola fue su compañera de reparto en su última película: *Kosher Kitty Kelly*.

CLAUDE GILLINGWATER nació en Missouri en 1870. Aprendiz en el despacho de abogado de un tío suyo, se escapó de casa para unirse a una compañía de teatro ambulante que pasaba por la ciudad. Trabajó en teatros de Nueva York y en 1921, hizo su debut cinematográfico acompañando a Mary Pickford en *El pequeño lord Fauntleroy*. Gillingwater, medía casi 1,90 m, el perfecto contrapunto visual de la Pickford en esta película, en la que la

Claude Gillingwater: basta es basta

actriz de veinticuatro años debía representar a una niña de diez. Su notable estatura confería aún mayor verosimilitud al personaje de la chiquilla disfrazada de varón. Más tarde Gillingwater, junto al cual la mayoría de la gente se veía diminuta, también abultó al lado de Shirley Temple en *Pobre la niña rica*. Trabajó con William Haines en *Three wise fools* de Vidor; una de sus últimas películas mudas fue *Ham and eggs at the front*. Sus películas sonoras son: *Dumbbells in Ermine, Papaíto piernas largas* con Janet Gaynor, *Broadway's Bill* de Frank Capra, *Historia de dos ciudades* en donde encarnaba a Jarvis Lorry y *Prisionero del odio* de John Ford.

En 1936, mientras rodaba con Jack Oakie una escena de *Florida Special* para la Paramount, Gillingwater cayó de una plataforma, se lesionó la espalda y a partir de entonces tuvo serios problemas para seguir actuando. Su mujer murió y la depresión se apoderó de él. El 1 de noviembre de 1939 se voló los sesos en su casa de North Bedford Drive, en Beverly Hills. Así rezaba la nota que dejó: «A la Policía: he acabado con mi vida porque, dada mi avanzada edad y el grado de mi deterioro físi-

co, no tengo oportunidad alguna de volver a encontrarme bien y me resisto a convertirme en un inválido desvalido».

JONATHAN HALE nació en Canadá en 1891. Antes de ingresar en el mundo del cine en 1934 fue diplomático durante un breve período. Sus casi trescientos papeles a lo largo de veintidós años de carrera cinematográfica lo convierten en uno de los actores de reparto más ocupados de Hollywood. Por lo general era el típico hombre de negocios rudo, y se le recuerda sobre todo en su interpretación de Mr. Dithers, el jefe de Dagwood, en la popular serie producida por la Columbia con el personaje de «Blondie». Era una suerte de «especialista» en seriales, apareciendo en películas de Charlie Chan, el Santo, Maisie, la familia Hardy y el doctor Gillespie. En *Sólo se vive una vez* de Fritz Lang, era el fiscal del distrito; Lang volvió a utilizarlo para el personaje de Debege en *Hangmen also die*. Encarnó a Mr. Anthony, al padre de Robert Walker, en *Extraños en un tren* de Alfred Hitchcock y apareció con Paul Kelly en *Duffy of San Quentin*. Una vez jubilado, Hale se instaló en el complejo residencial Motion Picture Country

House, en Woodland Halls, California. El 2 de marzo de 1966 se suicidó en su chalet; encontraron la pistola junto al cadáver. Los vigilantes manifestaron que desde hacía un tiempo lo notaban deprimido.

BOBBY HARRON nació en una humilde familia irlandesa de Greenwich Village. Alcanzada la adolescencia, Bobby tuvo que buscarse un empleo por horas, y uno de los hermanos de la escuela parroquial lo envió al estudio Biograph de la calle 14. Wallace McCutcheon (otro suicida) lo empleó en el departamento de montaje por 5 dólares semanales. Luego se encariñó con él D.W. Griffith y, junto a Mary Pickford, Lillian Gish y Mae Marsh, lo incluyó en el reparto de *Judith en Bethulia*. En *El nacimiento de una nación* interpretó cuatro papeles, aunque sin duda su mejor creación fue la del El Muchacho en la secuencia moderna de *Intolerancia*. Un hermano de Harron, Charles, se mató en 1916 en un accidente automovilístico. Su hermana Teresa murió durante la plaga de gripe española. El 1 de septiembre de 1920 Harron se hallaba alojado en el hotel Seymour de Nueva York y acababa de llegar a la costa Este para asistir al estreno de

Las dos tormentas de Griffith. Por aquel entonces, era obvio que la estrella masculina preferida del director era Richard Barthelmess. El año anterior Barthelmess había alcanzado un notable triunfo con *La culpa ajena* al lado de la Gish. Esa noche Harron fue a la morgue en lugar de ir al cine. Lo encontraron muerto en su habitación, con un revólver junto al cuerpo y una bala en el pulmón derecho.

En un film que en 1943 Tay Garnett realizó para la MGM, *Bataan*, aparece JOSE ALEX HAVIER en el papel de Yankee

---

Bobby Harron: la morgue en lugar del cine

Salazar. Volvió con *Brack to Mataan* al lado de John Wayne en 1945 en la película de la RKO del mismo nombre. Otra vez junto a Wayne, haría después el papel de Benny en una saga de barcos torpederos rodada por John Ford con el título de *They were expendable*. Havier se pegó un tiro el 18 de diciembre de 1945. Su último film, *Nadie es inmortal* se estrenó en 1946, cuando él ya estaba muerto.

GEORGE HILL empezó a trabajar en el cine como tramoyista, guionista y cameraman en los estudios de la Biograph. Durante la primera guerra mundial combatió en Gallipoli. Era alto, moreno y apuesto.

En 1921, se inició como director e hizo *Tell it to the marines*, una de las mejores películas de Lon Chaney. Dirigió las soberbias escenas bélicas nocturnas de *El gran desfile* de King Vidor, pero tal vez su obra maestra sea *El presidio* (1930), primera cinta sonora importante sobre el mundo de la delincuencia. En 1934, Thalberg envió a China un equipo de filmación encabezado por Hill, quien había sido elegido para dirigir *La buena tierra*. Hill regresó cargado con muchos metros de

imágenes de ciudades y paisajes campestres y con dos búfalos de agua vivos. En una clara mañana de 1934, pocos días antes de la fecha señalada para iniciar el rodaje de *La buena tierra*, George Hill se voló el cráneo con un rifle de caza.

Cuando D.W. Griffith llegó a los estudios Biograph de calle 14 en Nueva York, el jefe era el «Viejo» McCutcheon, que había dirigido algunos de los primeros cortos para las primeras salas de espectáculo que proyectaban imágenes. El Viejo le compró a Griffith un guión y lo contrató como actor. McCutcheon trabajaba a ritmo lento; sacando sólo una película por semana. Cuando le dio a Griffith la oportunidad de dirigir, éste trabajó aprisa y pronto pasó a hacer todos los films de la Biograph. El resto es historia.

Por la época en que Griffith llegó al estudio, el hijo del Viejo, WALLACE MC CUTCHEON JR., desempeñaba allí muchos empleos. A finales de 1908, abandonó la Biograph. Pese a ser norteamericano, al estallar la primera guerra se alistó en el ejército inglés; en recompensa a su valor lo promovieron al grado de mayor. Fue herido por una granada y le tuvieron que colocar una

placa de plata en el cráneo.
Finalizada la guerra, regresó a Nueva York, se casó con Pearl White y formó pareja con ella en la serie *The black secret*, y en 1920 protagonizó *The thief*. Más tarde se divorciaron y poco después McCutcheon fue internado en una clínica privada. El 27 de enero de 1928 se pegó un balazo en la cabeza. Cuando lo encontraron tenía el revólver en la mano y los bolsillos llenos de recortes que hablaban de Pearl White.

Tres pistolas para tres actores. NELSON MC DOWELL (*El último de los mohicanos* de Maurice Tournar, *Scaramouche* con Ramón Novarro, *College Swing* con Bob Hope). JOHN MITCHELL (*Mr. Skeffington* con Bette Davis). BERT MOORHOUSE (*El crespúsculo de los dioses* y *The big hangover*). Los tres se pegaron un tiro y murieron el 3 de noviembre de 1947, el 19 de enero de 1951 y el 26 de enero de 1954, respectivamente.

¡Superman se mata a sí mismo! No, no se trata de un nuevo episodio de la serie. Fue en serio. En 1959, GEORGE REEVES hizo lo que nadie se había atrevido a intentar: mató al Hombre de Acero.

Reeves, cuyo nombre verdadero era George Bessolo, había nacido en 1914 en Iowa y estudiado arte escénico en la Casa del Teatro de Pasadena. Su primera interpretación cinematográfica fue el personaje de Brent Tarleton en *Lo que el viento se llevó*. A continuación actuaría en *Torrid zone*, *Argentine nights*, con las Andrews Sisters, *Strawberry blonde* de Raoul Walsh, *Sangre y arena* como el capitán Pierre Lauren, *Jim de la jungla*, *Sansón y Dalila* de De

George Reeves: asesinado por Superman

Mille, donde era El Mensajero Herido, *Encubridora* de Fritz Lang y *Superman y el Hombre Montaña*. Una musculosa constitución de 1,85 m de altura y firmes conocimientos de judo fueron importantes elementos para hacerse con el uniforme y la capa del Superman televisivo. Popular no sólo en los Estados Unidos, la serie pasó a ser uno de los programas punta del Japón, y el emperador Hiroito envió a Reeves una carta contándole cuánto disfrutaba con el espectáculo. Reeves no pudo soportar la desazón que le causó el hundimiento de su carrera cuando dejó de trabajar en la serie de Superman.

Hubo en torno a su muerte algunos detalles curiosos. El 16 de junio de 1959 se pegó un tiro en la cabeza con una Luger 9 mm y lo encontraron desnudo, en la cama, en su casa de Benedict Canyon. Segundos antes de que se oyera el disparo, su novia, Leonore Lemmon, de la alta sociedad neoyorquina, predijo ante algunos invitados que Reeves se suicidaría. Miss Lemmon estaba en la planta baja de la casa cuando, alrededor de la 1 de la madrugada, un grupo de amigos llamó a la puerta. Furioso de que le molestaran a semejantes horas, Reeves bajó la escalera y les amenazó con echarlos. Cuando volvió a subir, Miss Lemmon observó: «Ahora debe de estar abriendo el cajón para coger la pistola». Entonces, se oyó un disparo: «¿Veis? Ya os lo había dicho: se ha pegado un tiro». Dos meses antes de morir, Reeves había ido a la oficina del fiscal general de Los Angeles para informar de que estaba siendo víctima de unas llamadas telefónicas anónimas cuya voz él atribuía a Mrs. Toni Manix, esposa de Eddie Manix, vicepresidente de la Loew's Inc. y ex gerente general de la MGM. Mas a pesar de ello Reeves legó a la señora Manix el grueso de sus bienes.

Su novia echó a Superman la culpa de la muerte de Reeves. Dijo que el personaje había dominado hasta tal punto la vida del actor, se había identificado de tal manera con el papel, que se había vuelto imposible para él representar otros papeles.

Nacido en Checoslovaquia, Leo Slezak fue uno de los grandes tenores líricos de nuestro siglo. Por más de veinticinco años fue la figura central de la Opera de Viena y, el ídolo del público austríaco. Solía interpretar papeles de Wagner en el Metropolitan. También fue estrella de cine y actuó en muchas películas en Austria y Alemania (*Rendez-*

vous in Wien, Die blonde Carmen).

WALTER SLEZAK, hijo de Leo, había nacido en Viena en 1902 y estudiaba medicina cuando el director Michael Curtiz lo descubrió. Apareció en una cinta épico-bíblica, *Sodoma y Gomorra*, que el director rodó en 1922. La más memorable de sus interpretaciones tempranas es la del protagonista de *Mikaël* (1914). Esta obra maestra, dirigida por el danés Karl Dreyer en Berlín fue la primera película importante en abordar el tema de la homosexualidad. Es una historia de amor entre un pintor de mediana edad (encarnado por el cineasta danés Benjamin Christensen) y su joven modelo (Slezak).

Walter Slezak: sin ánimos para vivir

Cuando actuó en *Mikaël*, Slezak era delgado, juvenil y epiceno. En pocos años ganó muchos kilos y ya no pudo interpretar papeles de galán romántico. Pronto se vio relegado a personajes secundarios. Viajó entonces a los Estados Unidos y participó en varios espectáculos de Broadway, haciendo su debut en la pantalla norteamericana en 1942. En 1955, su trabajo en la obra *Fanny* en Broadway, le valió a un tiempo el Tony y el Premio de la Crítica Neoyorquina. En 1957, actuó en *El barón gitano* en el Metropolitan. Se le puede ver junto a Ronald Reagan en *Bedtime for Bonzo*, y con la también suicida Barbara Bates, en una película de Danny Kaye, *The inspector general*. Una de sus interpretaciones más impresionantes fue la de novio de Judy Garland, Don Pedro Vargas, en el film de Vincent Minnelli *El pirata*.

(*El pirata* es un «Triple S», o sea una película que albergó a tres suicidas. Además de Slezak, estaban, en calidad de supervisora de vestuarios, Irene y, como arreglista musical, Conrad Salinger, dos talentosos artistas que acabaron con sus vidas.)

Durante la segunda guerra mundial, Adolf Hitler, cinéfilo por excelencia, vio a Wal-

ter como capitán del submarino de *Náufragos* de Alfred Hitchcock y en un film de propaganda antinazi dirigido por Jean Renoir, *Esta tierra es mía*. Al Führer no le gustó nada lo que estaba viendo y decidió imponer a Leo Slezak una multa de 100.000 marcos. El padre tuvo así que «pagar» los pecados de su hijo.

La última película de Walter Slezak fue en 1976 *The mysterious house of Dr. C.*, en la cual desempeñaba el papel del Dr. Coppelius. Una persistente dolencia cardíaca sumía por entonces al actor en fuertes depresiones. En 1983, en su casa de Manhasset, Long Island, se mató de un tiro con un revólver calibre 38.

La acrobática MARY WIGGINS, que en el curso de su carrera había sobrevivido en la ficción a las más peligrosass situaciones, murió instantáneamente en la casa de North Hollywood donde vívía cuando, el 10 de diciembre de 1945, se disparó un tiro en la cabeza.

GIG YOUNG, cuyo verdadero nombre era Byron Barr, nació en Minnesota. El padre era cocinero en un reformato-rio. El joven Byron, después de trabajar un tiempo como vendedor de coches de ocasión, inició su carrera de actor en la Casa del Teatro de Pasadena, donde cierto día le echó el ojo un buscador de talentos de la Warner Bros. Su primer buen papel fue el de un artista llamado Gig Young en *The gay sisters* con Barbara Stanwyck. El público que acudió al preestreno habló bien de él; el estudio le sugirió que adoptara el nombre de su personaje.

Luego de hacer *Veneno implacable* con Bette Davis, se enroló en el cuerpo de Guardacostas en el que prestó servicio durante tres años. Su segunda esposa, Sophie Rubinstein, instructora de actores en la Warner, murió de cáncer poco después de la boda. Young era alcohólico. En *Come fill the cup* (1951), encarnó a un alcohólico a quien James Cagney lograba apartar del suicidio. En 1956, Young se casó con Elisabeth Montgomery; se divorciaron en 1963. Su interpretación del animador de la maratón de baile en *¿Acaso no matan a los caballos?* (1969) le valió el Oscar al mejor actor secundario.

Young padecía un cáncer de piel. Si bien no corría peligro de muerte, decidió marcharse a Nueva York porque el in-

← *Gig Young: de nada le sirvió el Oscar*

tenso sol de California agravaba su situación. Estaba rodando una película en Hong Kong cuando conoció a Kim Schmidt, quien trabajaba allí en una galería de arte. El tenía sesenta y cuatro años, ella treinta y uno. Se casaron. Tres meses más tarde, Young mató a su nueva esposa y se suicidó en el lujoso dúplex que ambos compartían en el edificio Osborne, justo enfrente del Carnegie Hall. Lo encontraron empuñando un revólver 38. Tanto el actor como su mujer murieron de un único disparo en la cabeza. Estaban vestidos de punta en blanco y no había señales de pelea. De ahí la hipótesis de un pacto suicida. La policía

hizo un extraño descubrimiento: además del arma homicida, en el apartamento de Young encontraron otros tres revólveres y 350 cajas de munición.

En 1971, Red Buttons había dicho de Young: «Bajo la superficial sofisticación de Gig se esconde un hombre que necesita tener un arma a mano». El propio Young confesó cierta vez durante una entrevista: «No se puede decir nada de las personas por lo que se ve desde fuera. Hay que tener en cuenta que se han pasado la vida ocultando sus temores». Su última película, la que estaba rodando cuando conoció a la chica con la que se casaría y mataría, se llamaba *El juego de la muerte*.

MUERTE POR AHORCAMIENTO

Por una llamativa coincidencia ALBERT DEKKER, que acabó ahorcándose, hizo su debut cinematográfico en *The great Garrick*, film dirigido por James Whale, quien se ahogó voluntariamente. (Dekker, encarnaría más tarde al fatuo Luis XIII en otra retorcida obra de Whale, *El hombre de la máscara de hierro*.)

Este actor de sombrío aspecto, cuyo verdadero nombre era Albert van Dekker nació en Brooklyn. Siendo estu-

Albert Dekker: colgando de la ducha

diante trabó amistad con Alfred Lunt, y luego apareció en Broadway en una obra de Eugene O'Neill: *Marco millions*, en la que Lunt hacía el papel de Marco Polo. Entre 1944 y 1946, Dekker trabajó como asambleísta demócrata por el Distrito 57 en la legislatura de California.

Dekker era naturalmente lúgubre y con frecuencia interpretó personajes más bien tenebrosos. El más recordado sería el protagonista de *Dr. Cyclops*, película dirigida por Ernest Schoedsack, uno de los creadores de *King Kong*. Dekker era en ese film el desquiciado Dr. Thorkel, que vivía en un remoto paraje del Amazonas y reducía al tamaño de un muñeco a cualquiera que fuese lo bastante tonto como para hacerle una visita. El Dr. Thorkel era calvo y de ojos saltones; muy miope, llevaba unos lentes enormes que le distorsionaban la cara. Cuando contemplaba a los personajes que él mismo había convertido en miniaturas, parecía una réplica estrábica y lampiña de King Kong. También haría historia en otro sentido: Thorkel fue el primer monstruo filmado en Technicolor de tres tonos.

Dekker actuó también en *Suspense, Forajidos, Tarzán y la fuente mágica, Slave girl, Destination murder, Kiss me deadly, Al este del Edén, De repente en el último verano y en un largo melodrama de suspense, Noche en el alma*, con Hedy Lamarr. En *Entre los vivos*, con Susan Hayward, Dekker interpretó a dos hermanos gemelos, uno de los cuales era un maníaco homicida. En *De isla en isla* logró por fin conquistar a la chica y se alejó navegando hacia el crepúsculo con Marlene Dietrich, quien llevaba un modelo diseñado por Irene (otra suicida).

En 1967, el hijo de Dekker, Jan, de dieciséis años de edad, fue hallado sin vida con una bala en el cuerpo, en Hastings-on-Hudson, Nueva York. Las autoridades concluyeron que se había suicidado. El 5 de mayo de 1968 apareció el cadáver de Albert Dekker en su apartamento de Hollywood. Estaba esposado, llevaba una mordaza y colgaba del caño de la ducha. El cuarto de baño había sido cerrado por dentro con cerrojo. El cuerpo iba ataviado con delicadas prendas interiores femeninas de seda, y Dekker había dedicado sus postreros momentos a garabatear sobre su cuerpo, con lápiz de labios, frases que no pueden reproducirse aquí.

Ziegfeld descubrió a las Dolly Sisters bailando en un vodevil. Se apresuró entonces a contratarlas para su revista de 1911. Eran gemelas idénticas, pequeñas y morenas, con un exótico encanto oriental. Nacidas en Hungría y criadas en el bajo East Side de Nueva York, Jancsi había cambiado su nombre por el de JENNY DOLLY y Roszicka al de Rosie. El gran Ziegfeld les puso faldas hechas con docenas de plumas blancas, las coronó con diademas de diamantes y las puso a bailar en sus espectáculos. Jim «Diamante» Brady las vio y se enamoró de ellas; pronto tuvieron a sus pies a todos los millonarios de Nueva York. En 1915, Jenny protagonizó el film *Call of the dance* producido por los estudios Kalem, y luego las dos coprotagonizaron para la MGM *Muñecas millonarias* (1918).

Fueron a Europa, y Jenny se convirtió en la reina de las mesas de ruleta de Montecarlo. Perdió y ganó sumas fabulosas, y cambió sus ganancias por la mayor colección de diamantes que jamás ser humano había visto en la Riviera. Era el alegre cascabel; Rosie era menos retozona que su hermana. Mientras Jenny seguía jugando a la ruleta, Rosie volvió a su país de origen y de-

dicó algún tiempo a practicar la caridad entre huérfanos húngaros.

Luego se presentaron juntas en el Casino de París y conquistaron la ciudad. Introdujeron el charleston y el *black bottom* en Europa. Compraron un castillo en Fontainebleau donde ofrecieron extravagantes y sofisticadas fiestas. Uno de los más fervientes admiradores de Jenny era el príncipe de Gales, más tarde duque de Windsor. El rey Christian de Dinamarca y el rey Carol de Rumanía las aplaudieron de muy cerca. Aparecieron en el Moulin Rouge de París, donde recibieron el beneplácito de Maurice Chevalier.

Jenny se enamoró de un aviador francés, Max Constant. Fue una historia demencial, salpicada de rupturas y reconciliaciones. Después de una pelea con Max, se lió con Gordon Selfridge, propietario de los famosos grandes almacenes de Londres. El le ofreció 10 millones de dólares a cambio de su mano. Jenny seguía amando a Max, pero amaba aún más los diamantes. Antes de casarse con Selfridge decidió pasar un último fin de semana con Max Constant. El coche del amante tuvo un accidente cerca de Bordeaux y Jenny estuvo a punto de morir. Estuvo meses enteros sometiéndose a operaciones en el Hospital Americano de París. Selfridge contrató a los cirujanos plásticos más sobresalientes del mundo en un intento por recuperar su belleza. Pero no funcionó. El cuerpo de Jenny permanecería tan destruido como su alma.

Rosie se había casado con un rico empresario de Chicago. Ella y él trajeron a Jenny de regreso a los Estados Unidos. Unos años después, se habló de un posible regreso, pero la reaparición no se produjo nunca. El 1 de junio de 1941, Jenny anudó unas telas y se colgó de la ducha en su piso de Hollywood.

En 1945, George Jessel (cuya amiga, Abigail Adams, se mataría en 1955 ingiriendo una cantidad letal de Seconal) produjo para la Fox un híbrido titulado *The Dolly Sisters* con Betty Grable y June Haver. Los costes de producción fueron desmesurados, pero el guión hizo magra justicia a las vidas de las fabulosas Dollies.

El actor FRANK GABY, que apareció en una película de la Universal titulada *Mr. Dynamite*, se ahorcó el 12 de febrero de 1945. Tenía cuarenta y nueve años.

Mae West tenía debilidad por los boxeadores. Puede

Trent Lehman: reunión de alumnos

verse al fornido púgil JOHN IN-
DRISANO junto a Mae en uno
de los mejores films de ésta,
Every day's a Holiday. Los
dos grandes amores de Mae
hacia finales de los años
treinta fueron Indrisano y
Chalky Wright, un luchador
que se convertiría en chófer.
Mae vivió con Indrisano
cierto tiempo. Lo dominaba
totalmente, pero le encanta-
ban los ejercicios gimnásticos
a los que él la sometía. John
llevaba a La West a hacer jog-
ging y la entrenaba como a un
boxeador. El musculoso
Johnny también apareció en
*Two fisted, Ringside Maisie,
In this corner* y *Joe Palooka in
the counterpunch*, films todos
ellos en los que podía exhibir
sus dotes pugilísticas. Otras
películas suyas fueron *Lost in
a harem, Lulu Belle, Dirección prohibida* con Barbara
Stanwyck, *The yellow cab
man* y *Una casa no es un hogar*. Indrisano se ahorcó en su
casa de San Fernando Valley
el 9 de julio de 1968.

Christine Jorgensen story,
penúltimo film de Irving Rapper, no correspondía precisamente al mejor momento
creativo del autor. (Este había
sido sin duda *La extraña pa-
sajera*, el melodrama más inspirado de Bette Davis. Rapper
también dirigió *The gay sis-*

ters, a partir de la cual adoptó
su nombre artístico el futuro
suicida Gig Young.) Pero pocos de los que lo hayan visto
podrán olvidar ese film testi-
monial de 1970 sobre el cambio de sexo más famoso de
Norteamérica. Uno de sus
aciertos era una criaturita rubia llamada TRENT LEHMAN,
que hizo el papel de Christine
cuando varón (es decir, de
George Jorgensen antes de
convertirse en Christine). En
una escena, George se pone
un largo vestido blanco de su
madre y se embadurna su
adorable pequeño pito con lápiz de labios. Esa actuación
sirvió para que Trent fuera
elegido para el Butch Everett
de *Nanny and the professor*,
una serie televisiva de la ABC
que se emitió durante 1970 y
1971. Aquél fue su único verdadero fallo. Lo encasillaron
en el papel de Butch, su condición de adolescente en rápido desarrollo le acarreó dificultades para encontrar trabajo, y en los diez años que siguieron a *Nanny* no consiguió
ningún tipo de trabajo. Empezó a cansarse de llamar a las
puertas. A los diez años ganaba 1.200 dólares a la semana; a los veinte, no podía encontrar un empleo de a cuatro
dólares la hora. Después de su
suicidio, su madre dijo que le
destrozaba el corazón ver

cuán poco caso le hacían a su hijo, él, que en otro tiempo había sido tan popular. Los rechazos cambiaron su personalidad. A partir de los trece años se volvería cada vez más huraño y retraído. Cuando Bobbi Lehman se dio cuenta de que su hijo andaba con chicos metidos en alcohol y drogas, decidió que lo mejor era marcharse de Hollywood. Volvió a instalar a la familia en Colorado Springs, su tierra natal. Por un tiempo las cosas pintaron mejor. Trent se hizo miembro de la Asociación de Fomento del Trabajo. Cuatro años después, en el verano de 1981, metió sus cosas en la maleta y se largó otra vez a Hollywood. Meses después era cocainómano. Cuando su madre volvió a verle, insistió en que se sometiera a terapia. Trent se negó.

Una gélida noche de enero de 1982, Joseph Allen, antiguo compañero de colegio de Trent, regresaba a su casa en Arleta, cerca de North Hollywood. Eran la 1:45. Encaminó su coche hacia la entrada a su casa, justo en frente de la Escuela Básica de Vena Avenue donde Trent y él habían estudiado y en cuyo patio habían pasado muchas horas felices. Al bajar del coche, vio una grotesca imagen delante del edificio de la escuela. Al-

guien se había atado un cinturón de cuero al cuello, había trepado a lo alto de la reja, anudado el otro extremo del cinturón al travesaño, se había dejado caer... y estaba muerto. A medida que fue acercándose, Allen fue reconociendo a su antiguo compañero, el ex niño prodigio de la pantalla Trent Lehman, que había vuelto a su antigua escuela para morir. En el bolsillo había una nota de despedida.

El batería y actor BEN PO-LLACK fue un ser polifacético. Escribió canciones, dirigió una banda y actuó en muchos de los primeros cortometrajes sonoros, en particular *Ben Pollack and his Park Central Orchestra*. Los puntos culminantes de su carrera en la pantalla fueron *Música y lágrimas*, realizada en 1954 por Anthony Mann y protagonizada por James Stewart y June Allyson, y *The Benny Goodman story* (1955). Pollack se ahorcó en Palm Springs el 7 de junio de 1971.

EL SALTO DE LA MUERTE

La actriz cinematográfica LOIS BERNARD saltó hacia la muerte el 25 de abril de 1945. Sin embargo, el salto mortal más celebrado de Hollywood fue el de aquella chica que sólo hizo una película. PEG

ENTWISTLE había nacido en Londres con el nombre de Lillian Millicent Entwistle. En 1929, cosechó excelentes reseñas por su papel en un triunfal espectáculo de Broadway, *Tommy*, y después apareció en algunas producciones de la Theater Guild. Instalada ya en Hollywood, aún actuó en una obra más, *The mad hopes*, con Billie Burke. La crítica habló bien de Peg, pero la obra fracasó después de dos semanas en Los Angeles con la sala a medio llenar. Pero al fin Peg consiguió un trabajo en una película de misterio y asesinatos, *Trece mujeres*, con Mirna Loy. Pese al buen reparto, el film no tuvo éxito, y a Peg las cosas se le pusieron cuesta arriba. Hollywood es un lugar hostil para aquéllos que no consiguen salir adelante; sólo se estrecha la mano de los que lo consiguen. Cuando se confirmó que el film no había ido bien de taquilla, en el estudio le dijeron a Peg que «de momento» no tenían nada para ella. Se pasó semanas tratando de encontrar trabajo en alguna otra película, semanas de esfuerzo por hacer buena cara cada vez que se cruzaba con alguien que la había conocido en sus tiempos de cotizada actriz de Broadway.

Pues bien, a su manera Peg llegó bastante alto finalmente. El 18 de septiembre de 1932 trepó por la escarpada ladera del Monte Lee hacia el gran letrero de Hollywoodland, que desplegaba en gigantescos caracteres el nombre de la infausta aventura inmobiliaria de Mack Sennett. Había trece letras en aquel letrero y éstas ejercían una mortal fascinación sobre Peg, quien casi todos los días paseaba a caballo por los alrededores. Tirando al suelo la chaqueta y el bolso, aprovechó la escalera que había dejado un obrero para subir los quince metros de la letra H. Nunca sabremos cuánto tiempo estuvo contemplando las luces de Hollywood aquella noche; nunca conoceremos sus amargos pensamientos. Desde su observatorio podía ver bien los

Peg Entwistle: se tiró desde el célebre letrero «Hollywoodland»

estudios, incluido el de la RKO, donde, por un tiempo, había abrigado la esperanza de que el destino la favorecería. Se arrojó al vacío. La dolorosa nota que dejó rezaba: «Me temo que soy una cobarde. Perdón por todo». No sabía que, en el momento del suicidio, el correo le llevaba una carta de la Comunidad de Actores de Beverly Hills. Le ofrecían un suculento papel en su próxima obra en la que habría representado el papel de una chica que se suicidaba al final del tercer acto.

La actriz GLADYS FRAZIN (cuya carrera quedó prácticamente limitada a la década de los años veinte) saltó por la ventana de su apartamento neoyorquino el 9 de marzo de 1939. Había estado casada con el cómico Monty Banks, que había actuado en varios films con Fatty Arbuckle y luego había dirigido a Laurel y Hardy en *Great guns*. Después de su divorcio, Banks se casó con Gracie Fields. La mejor película de Frazin fue *Let no man put asunder*, un drama sobre el divorcio, realizado en 1924, protagonizado por Lou Tellegen, quien también se suicidaría.

RUSSELL GLEASON era hijo de James Gleason, uno de los actores secundarios más talentosos y queridos del cine norteamericano. Gleason solía encarnar a personajes urbanos tipo Groucho —policías, ladrones, reporteros, entrenadores de boxeo—, por lo general con un corazón de oro debajo del disfraz engañoso: así en *Juan Nadie, El difunto protesta, Arsénico por compasión, La noche del cazador, El último hurra*. Conoció a su esposa, la actriz Lucille Gleason, mientras trabajaba en una compañía de repertorio dirigida por el padre de ella. El propio Russell había nacido en Portland, Oregon, donde sus padres se hallaban de gira. Tenía tres meses cuando lo subieron al escenario para interpretar con ellos

Los Gleason

una obra. Pocas veces se daba en cine formaciones de padremadre-hijo. Una de esas formaciones fue la de los Gleason. Aparecieron los tres juntos en *The higgins family* y algunas películas más. A Lucille se la puede ver, junto a Mae West, en el papel de Big Tess en *Klondike Annie*. Activista política, entró en la Asamblea de California y fue vicepresidenta del Sindicato de Actores Cinematográficos. Russell debutó en *The shady lady* (1929), historia de una prófuga de la justicia protagonizada por Phyllis Haver. (Miss Haver también se suicidó.) El primer papel importante de Russell fue el del soñador estudiante Muller en *Sin novedad en el frente*. Su último film fue *Las aventuras de Mark Twain* (1944) con Frederic March. En diciembre de 1945 se alojó en el hotel Sutton de Nueva York con otros miembros del Cuerpo Militar de Transmisiones y Fotografía del estudio Astoria. En el día de Navidad el sargento Gleason se tiró por la ventana de su habitación en el cuarto piso del Sutton. El cuerpo aterrizó con un ruido seco, despertando a otros soldados.

IRENE (Irene Gibbons) pasó los primeros dieciséis años de su vida en el rancho de su padre en Montana. Fue a la escuela de diseño y luego abrió una modesta tienda de ropa en Los Angeles cerca de la Universidad de California del Sur. Un día, por casualidad, entró allí Dolores del Río y quedó asombrada por la altísima calidad del trabajo de Irene. La actriz se compró varios vestidos e informó a sus amigas acerca del lugar. Irene se puso de moda. En 1936, se casó con Eliot Gibbons, guionista (*Give us wings, Flight at midnight, Honey-moon deferred*) y hermano de Cedric Gibbons, célebre director artístico de la MGM. Muy pronto Irene abandonó su sencilla tienda para dirigir el «super-lujoso salón» de Bullock's Wilshire en el centro de Los Angeles. En 1938 empezó a diseñar trajes para películas, sobre todo por encargo de la Universal.

En 1941, Adrian, el genial jefe de diseñadores de moda de la MGM, declaró que estaba hasta las narices del estudio. Durante años nadie había impuesto límites al presupuesto de las extravagantes creaciones para las más sofisticadas estrellas. No obstante, en los últimos tiempos, había recibido el encargo de vestir a la Garbo de un modo más parecido al de la mujer media norteamericana, y los ejecuti-

vos de la corporación habían empezado a limitar presupuestos. Adrian abandonó la MGM para abrir su propio salón de costura. Irene dejó Bullock's para ocupar el puesto de Adrian como diseñadora ejecutiva de la MGM. Con los años crearía hermosos vestidos para Marlene Dietrich, Elizabeth Taylor, Claudette Colbert, Hedy Lamarr, Judy Garland, Lana Turner y muchas más; sus creaciones *soufflé* se hicieron célebres.

En una etapa posterior, trabajó en varios films de Doris Day. La actriz y la diseñadora se hicieron amigas. Day se dio cuenta de que Irene, generalmente nerviosa e introvertida, bebía demasiado. Veía poco a su marido, que vivía en otro Estado. A Irene le había gustado disparar e ir de caza, pero había perdido el gusto por estas actividades. Le confesó a Day que estaba enamorada de Gary Cooper y que era el único hombre al que habría querido en su vida. Cooper murió en 1961. El 15 de noviembre de 1962, Irene alquiló una habitación en el Hotel Knickerbocker de Los Angeles bajo un nombre falso. Se cortó las venas. Como la muerte tardaba en llegar, saltó por la ventana desde el décimo cuarto piso. Se encontró una nota que decía: «Lo siento. Esto es lo mejor. Conseguid un buen diseñador y sed felices. Os amo a todos. Irene».

Linda Christian nunca alcanzó mucha fama como primera actriz, pero, gracias a las revistas de chismes, se dio a conocer por sus romances en la vida real. Terminó casándose con Tyrone Power. En 1958, él subió para siempre al gran plató celestial. En 1964, Linda fue requerida por Francesco Rosi para hacer el papel de una actriz norteamericana en una corproducción ítalo-española, *El momento de la verdad*, historia sobre la vida de un torero. Se aficionó a los toreros que conoció durante el rodaje y tuvo un romance con el más famoso de todos, Luis Miguel Domínguín. Acabada la película, regresó a Roma y a su ático con terraza en un rascacielos de Parioli, el barrio más lujoso de la capital italiana. Allí solían visitarla los matadores amigos suyos, algunos de los cuales le llevaban de regalo las orejas de los toros abatidos. El chihuahua de Linda, MOUSIE, que desde cachorro había compartido la cama de su dueña, empezó a sentir crecientes celos de los toreros que la visitaban; en cierta ocasión destrozó a dentelladas una de las orejas des-

tinadas a la colección de Linda. Demasiadas veces tuvo Mousie que desalojar la cama para dejar lugar a los toreros. El momento de la verdad llegó para el chihuahua celoso en junio de 1964; la neurótica mascota, que desde hacía un tiempo recibía cada vez menos atenciones, saltó finalmente desde la terraza en un rapto de auténtica desesperación canina.

El astro vaquero ART ACORD era un auténtico vaquero. Nacido en Stillwater, Oklahoma, en 1890, era medio indio Ute. De joven, después de pasar unos años arreando ganado, se integró al Wild West Show de Dick Stanley, para luego formar parte de la compañía de Buffalo Bill. Acord se inició en el

Linda Christian, «estrella de la escena, la pantalla y los entierros», con Mousie

cine en 1909 y apareció en *El prófugo* de Cecil B. De Mille. Buck Parvin, el personaje que encarnó en una serie de films de 1916, estaba basado en el propio Acord. Era un vaquero nato. Tenía una increíble colección particular de trofeos, un auténtico museo, que llevaba dondequiera que fuera: revólveres con mango de perlas, espuelas de plata, treinta y seis bridas del mismo metal, sillas de montar grabadas a mano y veintiún pares de botas.

Fue soldado de infantería en la primera guerra mundial y ganó una *croix de guerre* por su valor en combate cuerpo a cuerpo. Mató a muchos alemanes con sus propias manos. Le encantaba pelear dentro y fuera de la pantalla. Cuando volvió al cine después de la guerra, todo el mundo pudo comprobar que Acord y su rival Hoot Gibson, vaquero estrella como él, se las buscaban siempre. Sus peleas eran legendarias. Tim McCoy dijo: «Se pegaban a muerte. Luego iban al bar y echaban unos tragos. Les encantaba». ¡Fantástica visión cuando se hallaba borracho y furioso! Acord fue el más indomable de todos los vaqueros. Una vez, en un bar, Victor Fleming proclamó que Acord no era indio de verdad. Este no

vaciló en romperle la nariz al futuro director de *Lo que el viento se llevó*.

Hizo muchísimos seriales (*In the days of Buffalo Bill, The Oregon Trail*—, trabajó para Bison y, a mediados de los años veinte, ya protagonizaba largometrajes para la Universal. Se casó con Louise Lorraine, su compañera en *The Oregon trail*. Acord era un temerario; pequeño y resistente, no era un hombre fácil de matar. Una vez, fue hospitalizado y dado por muerto después de rodar una escena en la cual trepaba a caballo un peñasco, pero el caballo acabó cayendo encima de él.

Acord encabezó junto a Fay Wray el reparto de la primera película de William Wyler, *Lazy lighthing*, producida en 1926 por la Universal. Wyler dijo de él: «No era un gran actor, pero respiraba sinceridad. No era guapo, pero montado en un caballo resultaba. Era un buen tipo. Nos entendíamos bien».

Acord fue la única figura importante del western que no pudo adaptarse al sonoro. Tenía problemas de voz, pero eso se hubiera remediado con un poco de práctica. Estaba demasiado ocupado buscando camorra y bebiendo para preocuparse por su voz, con lo cual se quedó sin trabajo en las películas habladas. Estuvo preso por comerciar con ron y después trabajó por un tiempo de minero en México. Aunque había perdido todo su dinero, se negó a someterse a la disciplina de unas clases de dicción. Creía que, con el apoyo de cierta publicidad, podría volver a la pantalla, de modo que fraguó un auto-secuestro con la complicidad de un grupo de maleantes mexicanos. El plan fracasó. Cuando intentó suicidarse en el Palacio Hotel de Chihuahua, un amigo norteamericano le quitó de las manos el frasco del veneno. Pero Art había escondido más cia-

nuro en el cuarto. Tal vez a otros les resultase un hombre difícil de matar, pero al fin él pudo consigo mismo, el 4 de enero de 1931. El cadáver se pudrió una semana entera en Chihuahua antes de que su familia se presentara para reclamarlo.

ABIGAIL ADAMS estaba casada con Lyle Talbot, un actor destinado ante todo a papeles de gánster en películas serie B de la Warner Bros. y que más tarde aparecería en el show televisivo de Burns y Allen. A los veintisiete años, Abigail se divorció de Talbot. La Columbia seguía considerándola una «starlet prometedora». Ella no quería riquezas; sólo quería ser una estrella. En 1950 se cortó las muñecas, pero un médico interno de un hospital le salvó la vida. Luego se comprometió con George Jessel, productor de la Fox muy conocido como «America's Toastmaster General» (algo así como el «Maestro del Brindis Americano»). Adams siguió siendo una starlet y se fue aficionando a los bares nocturnos. El estrellato la esquivaba, pero, en 1955, logró llenar las páginas de sucesos después de ingerir una cuantiosa dosis de Seconal mezclado con etileno. Jessel observaría: «Tuvo real-

Nick Adams: drástica terapia contra el delirium tremens

mente una vida frustrada, pero, naturalmente, nunca se sabe por qué la gente hace estas cosas».

Hijo de un lituano minero, NICK ADAMS nació en Pennsylvania y se llamaba Nicholas Aloysius Adamshock. Durante un tiempo prestó servicio en el Cuerpo de Guardacostas y luego vino a Hollywood con la esperanza de conocer a su ídolo, James Dean. (De hecho, trabajaron juntos en *Rebelde sin causa* donde Adams tuvo un pequeño papel.) Durante los años cincuenta y sesenta trabajó en unas cuantas películas, pero sólo conquistó cierta fama como protagonista de la serie televisiva *Rebelde*. Fue nominado para el Oscar al mejor actor secundario por su trabajo en *Acusación de asesinato*, su último buen papel. Después trabajó en una de las obras menos interesantes de Boris Karloff, *El monstruo del terror*, y en una de miedo que sólo cabe mencionar por su participación: *Frankestein meets the giant devil fish*. Cuando suspendieron la emisión de *Rebelde* por un período de dos años, Adams empezó a tener problemas para encontrar cualquier cosa que no fueran papeles sin importancia. Estaba muy unido a los dos hijos (Jeb Stuart y Allyson) que había tenido con la actriz Carol Nugent (de la que estaba divorciado). Adams volvió a ocupar grandes titulares cuando acusó a Carol de «permitir a un amigo suyo castigar y reñir a los niños pese a no estar casada con él». Llevó el caso a los tribunales y consiguió la custodia de los niños. La madre obtuvo un razonable derecho de visita, pero «no en presencia de hombres adultos no emparentados con ellos».

La salud de Adams empezó a deteriorarse, y un médico le prescribió paraldehído, una droga indicada para el tratamiento de alcohólicos con *delirium tremens*. La noche del 7 de febrero de 1968, un amigo de Adams, Erwin Roeder, decidió averiguar por qué el actor le había dado, la noche anterior, un plantón para cenar. Cuando Roeder llegó a su solitaria casa en la colina en El Roble Lane, Beverly Hills, descubrió que el coche del actor estaba en el garaje pero que en la casa no había señales de vida. Roeder rompió el cristal de una ventana trasera y descubrió a «Johnny Yuma» muerto en su habitación, derrumbado contra la pared, con los ojos abiertos en una expresión vacía. Thomas Noguchi, investigador de Los

Angeles mandó hacer una autopsia y encontró en los órganos «una mezcla de paraldehído, sedantes y otras drogas, suficiente como para provocar un paro cardíaco».

PIER ANGELI había nacido en Cerdeña en 1932. Su primer film en los Estados Unidos fue *Teresa*, historia de una muchacha italiana que se casa con un soldado norteamericano. Su melancólico rostro y su naturalidad al actuar causaron al público una fuerte impresión. Durante casi diez años fue una estrella de primera magnitud. Tinseltown decidió importar también a su hermana, Marisa Pavan. Angeli protagonizó dos películas junto a Paul Newman: *The silver chalice* y *Marcado por el odio*. Pero se enamoró de James Dean. Su *mamma* no lo aprobó y la presionó para que se casara con el cantante Vic Damone. El matrimonio con Damone se reveló calamitoso; después de la muerte de Dean, Angeli

Pier Angeli: la vida acaba antes de los 40

se fue desmoronando poco a poco. En 1971, escribió a una amiga: «Tengo un miedo horrible a envejecer; para mí, los cuarenta son el comienzo de la vejez... El amor ha quedado atrás; el amor murió en un Porsche». Angeli no llegaría a los cuarenta. El 11 de septiembre de 1971 se quitó la vida con una sobredosis de barbitúricos en su apartamento de Beverly Hills.

El productor Sam Spiegel (*La ley del silencio, El puente sobre el río Kwai, Lawrence de Arabia, Betrayal*) se casó con la starlet LYNNE BAGGET en 1948. En 1954 Mrs. Spiegel aparecería en los titulares cuando su coche se estrelló contra una camioneta llena de niños que volvían de una colonia de vacaciones, hiriendo a cuatro de sus ocupantes y matando a una quinta, que tenía nueve años y se llamaba Joel Wathick. Ella se dio a la fuga. La procesaron por homicidio, pero sólo cumpliría una sentencia de cincuenta días de cárcel por conducir con negligencia. Spiegel se divorció de ella en 1955.

La actriz apareció en *Con las horas contadas* con Edmund O'Brien, *The times of their lives* y *The gost steps out*. Nunca llegaría al estrellato. Hacia 1959, su carrera langui-

decía seriamente. Intentó suicidarse con píldoras, pero sin éxito. Dos meses más tarde, en un extraño accidente, estuvo atrapada durante dos días en una cama plegable. En 1960, recibía terapia contra la adicción a barbitúricos cuando su enfermera la encontró muerta debido a una sobredosis de píldoras para dormir.

SCOTTY BECKETT, uno de los niños precoces más listos de la pantalla, nació en Oakland en 1929. A los tres años debutó en el cine en una comedia de pandillas infantiles. Interpretó al joven Anthony en *El caballero Adverse*, al Delfín de Francia en *María Antonieta* y a Parris Mitchell en *King's Row*. Hizo de hijo de Barbara Stanwyck en *Mi*

Scotty Beckett: hacerse mayor no es divertido

reputación y de Al Jolson adolescente en *The Jolson story*. El primero de sus muchos encuentros con la ley ocurrió en 1948 cuando fue detenido por conducir borracho. En 1954, volvieron a detenerlo por llevar un arma escondida. En 1957, en la frontera mexicana, por estar en posesión de drogas duras. En 1960, lo condenaron a 180 días de prisión bajo fianza por haber golpeado a su hijastra con una muleta. En 1962, se cortó las venas; pero, recuperado, se hizo vendedor de coches y acabó por suicidarse con barbitúricos, en Hollywood, el 10 de mayo de 1968.

CLARA BLANDICK es un rostro de ama de casa, cuando no de todo un mundo doméstico. Todo el mundo la recuerda como la bondadosa Tía Em de Judy Garland en *El mago de Oz*. Nacida en 1881 a bordo de un buque norteamericano fondeado en el puerto de Hong Kong, entró en el mundo del cine en 1929 y actuó en más de un centenar de películas. Con frecuencia hacía el papel de tía bondadosa —de Jackie Coogan, por ejemplo, tanto en *Tom Swayer* como en *Huckleberry Finn*—, pero también era capaz de transformarse en memorable ramera, y en la inolvidable odiosa suegra de Barbara Stanwyck en *Cruel desengaño*. También se la puede ver en *La amargura del general Yen*, *Broadway Hill*, *Una vida robada*, *Gentleman Jim* y *El caballero Adverse*.

El 15 de abril de 1962 decidió no seguir soportando los tremendos dolores de su artrosis y la progresiva pérdida de visión. La vieja dama salió a la calle, fue a la peluquería, se puso su mejor traje de los domingos y desparramó por el apartamento fotos y recuerdos de su prolongada carrera.

Clara Blandick: más allá del arco iris

311

Tomó una buena cantidad de somníferos y, para asegurarse de que no sobreviviría, enfundó la cabeza en una bolsa de plástico. Poco después, como en la canción, Tía Em estaba más allá del arco iris (*Over the rainbow*).

Uno de los «amantes» más seductores de la historia del cine, CHARLES BOYER, fue asimismo un actor distinguido y retraído. Tras una carrera internacional, recaló en Hollywood en 1935. Algunos de sus papeles más recordados fueron en *El jardín de Alá* con Marlene Dietrich, *Cena de medianoche, Argel*, donde es Pépé le Moko, *El cielo y tú* con Bette Davis, y la deliciosa comedia de Lubitsch *El pecado de Cluny Brown* con Jennifer Jones. En 1934, se casó con la actriz británica Pat Paterson. Michael, nacido de ese matrimonio, se suicidó en 1965 a los veintidós años. Paterson murió de cáncer en su casa de Phoenix. Dos días después, el 29 de agosto de 1978, Charles se mató con una sobredosis de Seconal.

Hija de un clérigo, DOROTHY DANDRIDGE vino al mundo en Cleveland en 1923. Junto a su hermana Vivian aprendió a cantar con la madre, y a la edad de cuatro años, la pequeña Dorothy se

Charles Boyer no pudo vivir sin ella

inició en el mundo del espectáculo en una obra de baile y canciones llamada «The Wonder Children». En la pantalla, debutó junto a los hermanos Marx en *Un día en las carreras*. Fue una de las primeras intérpretes negras en acceder al verdadero estrellato en el cine norteamericano de categoría. Esto ocurrió en los años cincuenta, gracias a dos películas dirigidas por Otto Preminger: *Porgy and Bess* y *Carmen Jones*. En la primera, aunque doblada por Adele Addison, Dorothy encarnaba a Bess; en *Carmen Jones* la dobló Marilyn Horne. En 1963, se arruinó al perder todo el dinero que poseía en una inversión petrolera de beneficios inmediatos. El 8 de septiembre de 1965 encontra-

ron a la actriz, a sus cuarenta y un años, muerta en el cuarto de baño de su apartamento de Sunset Strip, en Hollywood. Una abundante dosis de píldoras para dormir la había curado de amnesia para siempre.

Pese a ser bajito y a esa expresión suya de cartón piedra, ALAN LADD labró para sí la leyenda de uno de los duros más memorables del cine. Empezó a trabajar como extra y durante años fue un actor ocasional, trabajando en películas serie B, producidas por la Republic o la Monogram. Su primer triunfo se debió a la tenacidad de su segunda espo-

Dorothy Dandridge logró curarse la amnesia

Alan Ladd, de tal madre, tal hijo

sa, la agente Sue Carol, que siguió apostando por él. Carol consiguió que en 1942 la Paramount le concediera un papel jugoso en *El cuervo*. Era un buen pequeño thriller, con Veronika Lake; multitud de admiradoras se derritieron ante la imagen de un Ladd todo sensibilidad y rudeza a la vez. Su siguiente trabajo para la Paramount, nuevamente con la Lake, en *La llave de cristal* no hizo sino confirmar su popularidad. Encabezó repartos con Loretta Young, Dorothy Lamour y Deborah Kerr, y hacia 1947 se colocaba como uno de las diez principales estrellas cinematográficas del país. Será probablemente recordado ante todo por un film de George Stevens, *Raíces profundas* (1953), con el cual obtuvo un triunfo resonante en el papel de un misterioso pistolero. Después de *Raíces profundas*, su carrera inició un declinio y la mayoría de sus últimos films fueron rutinarias historias de aventuras. En Hollywood nadie ignoraba que ya por entonces el alcoholismo de Ladd había alcanzado un grado peligroso. En 1963, se disparó un tiro en el pecho mientras, muy entrada la noche «perseguía a un supuesto ladrón» en su rancho. Un año después de este incidente, que

tenía todas las apariencias de un suicidio fallido, Ladd dio en la tecla. El 29 de enero de 1964, a los cincuenta años, se dio muerte con «una fuerte cantidad de alcohol mezclado con tres medicamentos y somníferos». La madre se había suicidado en 1937.

Un millón de años antes de Cristo, película de Hal Roach en la cual CAROLE LANDIS hacía de mujer de las cavernas, lanzó a la fama a la ondulante rubia. El suicidio de ésta, el 14 de julio de 1948, motivado por el rechazo de Rex Harrison, desató un alboroto descomunal entre los peliculeros de ambos sexos. Rex encontró el cuerpo de Carole en el suelo del cuarto de baño de la casa de Pacific Palisades, la cabeza descansando encima de un cofre de joyas y la mano aferrada a un arrugado sobre con una última píldora para dormir. En el tocador del dormitorio había una nota dirigida a su madre. Harrison estaba entonces casado con Lilli Palmer. Había cenado con la Landis la noche del suicidio. Landis estaba casada con el productor de Broadway W. H. Schmidlapp. Cuando le informaron de que su mujer había sido encontrada muerta, Mr. W. H. Schmidlapp exclamó: «¡Oh, Santo Cielo!»

Carole Landis: un corazón destrozado →

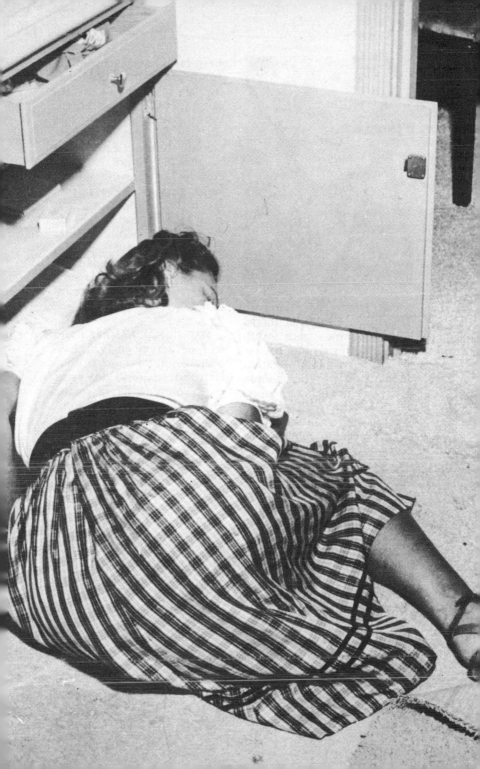

Los agentes de prensa de Tinseltown idearon el apodo de «El Cuerpo» para MARIE MCDONALD, y el nombre cuajó. Del talento interpretativo de Marie no había mucho que decir. La chica había sido modelo y bailarina en Kentucky, y actuó en películas tan memorables como *Pardon my sarong* o *Getting Gertie's garter*. Contrajo matrimonio siete veces y se dice que afirmó alguna vez: «Es más fácil encontrar maridos que buenos representantes». Pero incluso los buenos representantes no pudieron convertirla en una auténtica estrella. En enero de 1957, la encontraron en pijama en un camino desierto cerca de Indo, California. Dijo que un par de sujetos la habían secuestrado en su casa. Era evidente que el asunto era un truco publicitario para relanzar su agrietada carrera. Poco después la detuvieron por drogadicta y más adelante por conducir en estado de ebriedad. En 1963, se hallaba de gira por Australia cuando le sobrevino un colapso nervioso. Ese mismo año la detuvieron bajo acusación de falsificar recetas de Percodán, un fuerte calmante. En octubre de 1965, por fin obtuvo todo el Percodán que andaba buscando: el suficiente como para matarse. Y lo hizo.

MAGGIE MAC NAMARA nació en Nueva York en 1928. Exitosa maniquí durante su adolescencia, apareció dos veces en la portada de la revista «Life». Tras haber protagonizado *The moon is blue* en Broadway, esta diminuta y sensitiva morena debutó en 1953 en la pantalla en la polémica versión cinematográfica que Otto Preminger realizó de esta obra; en ella MacNamara interpreta a una virgen recatada que se defiende del asedio de William Holden. La Oficina Breen se negó a dar el visto bueno al film hasta que se eliminara de los diálogos la palabra «virgen»; los católicos lo condenaban desde el púlpito. Preminger se negó a cortar

Marie McDonald: nada quedó de «El cuerpo»

la película y la United Artists le ayudó a transgredir la norma impuesta por la Oficina Breen accediendo a distribuir el producto sin el sello del Código de Producción. Fue un éxito esplendoroso. McNamara fue nominada para el Premio de la Academia a la mejor interpretación femenina.

La carrera de Maggie continuó con *Tres monedas en la fuente* (1954) y *Prince of players* (1955). Entonces, repentinamente, desapareció de la pantalla, se divorció de su marido, el director Don Swift, y fue víctima de una crisis nerviosa. En 1963, regresó fugazmente al cine, cuando Preminger le ofreció un pequeño papel en *El cardenal*. Durante un tiempo trabajó como mecanógrafa. En 1978, se suicidó ingiriendo una sobredosis de somníferos dejando una nota. El informe del investigador hacía referencia a un historial clínico de enfermedad mental.

Seguramente se deba al azar, pero lo cierto es que Otto Preminger ostenta el récord de dirección de primeras figuras femeninas que se suicidaron: McNamara, Dorothy Dandridge y Jean Seberg.

Demasiada tinta ha corrido ya en especulaciones sobre una oscura trama de asesinato en torno a la muerte de MARILYN MONROE. En 1962, sobre la base de la autopsia practi-

Marilyn Monroe: ¡del suyo tampoco!

El dormitorio de Marilyn →

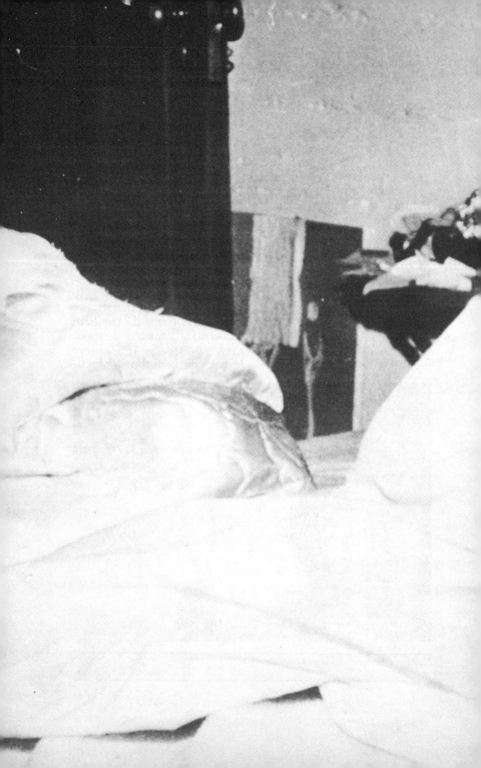

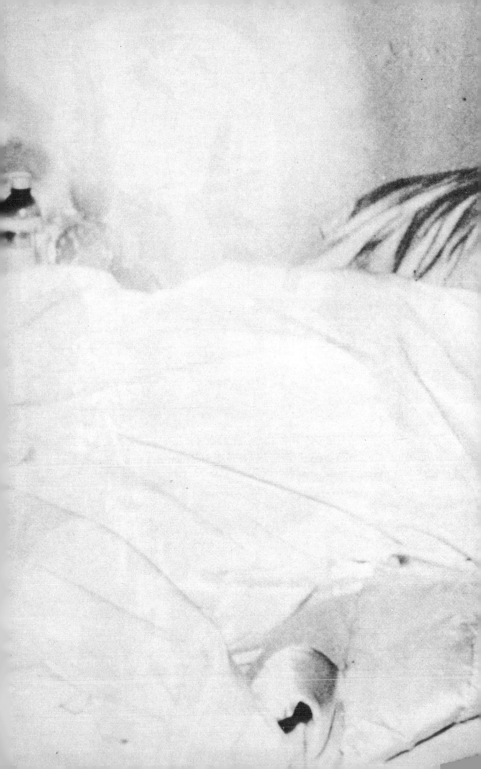

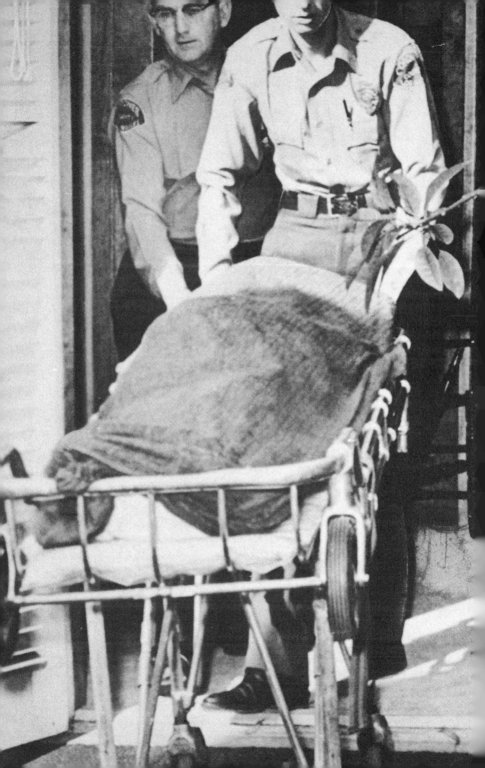

← *Se llevan el cuerpo de Marilyn*

cada por el patólogo Thomas T. Noguchi, por entonces un joven médico investigador, el forense Theodore J. Curphey concluyó que la estrella había muerto de una sobredosis de Nembutal y de comprimidos de cloral-hidrato. En 1982, veinte años después y pese a la maraña de discusiones al respecto, Noguchi consideraba el suicidio de la Monroe «muy probable». Por el momento no se ha aportado ni una prueba capaz de refutar seriamente su conclusión.

La policía se lleva a Jewel, el perrito de Marilyn

Las pieles de la Monroe →

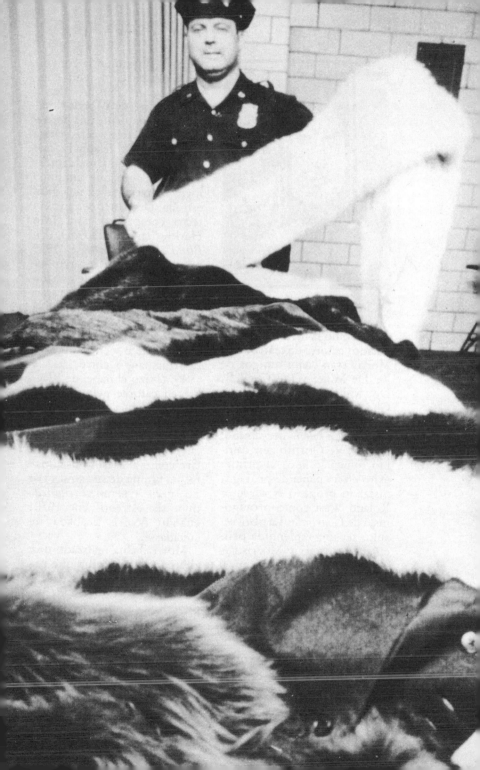

CHESTER MORRIS nació en Nueva York en 1901. Tanto el padre como la madre eran conocidos actores de teatro. Los Morris eran viejos amigos de los De Mille; y fue Cecil B. De Mille quien ofreció a Chester Morris su primer papel cinematográfico, como extra en *La huella del pasado*. Fue D.W. Griffith, en cambio, quien le llevó al primer éxito en un papel de protagonista: lo propuso al director Roland West como protagonista de *Coartada*. La obra resultó ser una espléndida película de gánsters y Morris fue nominado para el Oscar al mejor actor por su creación de Chick Williams, un inescrupuloso delincuente que se enamora de la hija de un policía. El actor volvería a triunfar muy pronto en la convincente encarnación de un convicto en *El presidio* de la MGM. Chester Morris desarrolló rápidamente una personalidad atractiva y carismática de buen profesional que nunca realizó una mala interpretación pero que tampoco logró convertirse en una gran estrella. Demostró ser un perfecto compañero para Jean Harlow en *La pelirroja*. En *Blind alley*, realizada en 1939 por la Columbia, estuvo soberbio en su papel de asesino fugitivo y demente. Pasó a ser el personaje principal de la popular serie sobre el personaje de «Boston Blackie», cortos serie B y en los que estuvo actuando entre 1941 y 1949. (Hizo el papel de Blackie en catorce películas.) Su mejor película fue el ingenioso thriller de Roland West *The bat whispers* (1930), en el cual interpreta tanto al detective como al asesino psicópata. La última de sus cintas fue *La gran esperanza blanca*, que se estrenó en 1970, cuando Morris acababa de suicidarse.

Morris había realizado una gira con la compañía que representaba la versión teatral de *Motín a bordo*. Cuando un periodista le preguntó acerca de su personaje de Queeg, contestó: «El capitán Queeg

---

Chester Morris: en Nueva Esperanza no hay esperanza

es todo un paranoico. Es un hombre extraño, fuera de lo común. A mí me gusta este tipo de papeles. Todo el mundo puede hacer de buen chico». En ese momento el actor ya tenía cáncer de estómago. Era lo suficientemente profesional como para seguir en los platós todo lo que podía, pero, el 11 de septiembre de 1970, viendo que se aproximaba el final, Morris se mató con una sobredosis de barbitúricos en el Holiday Inn de New Hope, Pennsylvania, cerca del Teatro Municipal del condado de Bucks, donde actuaba su compañía.

ONA MUNSON empezó su carrera en el mundo del espectáculo como bailarina de vodevil. Tras una triunfal temporada en *No, no, Nanette* en

Ona Munson: al fin libre

Broadway, hizo sus primeras armas en el cine en 1930. Le dieron un papel breve pero interesante en un film de Mervyn Leroy, *Fiver star final* (1931), en el cual aparece con Boris Karloff y Edward G. Robinson, pero durante todos los años treinta la mayoría de sus películas fueron simples trabajos rutinarios. Aunque lo que parecía ser el éxito de su vida le llegó con el papel de la prostituta Belle Watling, cómplice de Rhett Butler en *Lo que el viento se llevó*, no consiguió después ningún papel relevante. Su único otro papel importante en Tinseltown fue el de otra alcahueta, Madame Gin Sling en *El embrujo de Shangai* de Josef von Sternberg. Laqueada al máximo y pulsando las cuerdas del atroz melodrama, los ojos fijos en los casi enmascarados rostros de sus muñecas de placer, Munson estaba sensacional en esa película estilizada, pero ésta no fue un éxito y a ella sólo la condujo a una serie de westerns de bajo presupuesto. El 11 de febrero de 1955 dejó una nota en la que hablaba del deseo de «conquistar la libertad». Y la obtuvo gracias a una dosis masiva de somníferos.

A mediados de los años cuarenta parecía evidente que

GAIL RUSSELL tenía por delante una gran carrera. La hermosa joven de ojos azules y cabello negro azabache llegó directa de Santa Monica High para firmar un contrato con la Paramount. Obtuvo un éxito en su primer film, *The uninvited*, una eficaz historia de fantasmas en la cual apareció con Ray Milland. Las cosas pintaban todavía mejor después de sus correctas interpretaciones en *Misterio en la noche* y *Los mil ojos de la noche*. Sin embargo, la Russell tenía una neurosis grave, y las depresiones inherentess a todo estrellato prematuro en Tinseltown fomentaron su inclinación por el alcoholismo. La detuvieron varias veces por conducir borracha. En 1954, se divorció de su giboso marido, Guy Madison. Después de algunos intentos de suicidio, su carrera artística pasó a ser un mero recuerdo y, en agosto de 1961, a los treinta y seis años, la encontraron muerta en su apartamento de West Hollywood. El cadáver estaba rodeado de botellas de vodka vacías y de tubos de somníferos no menos vacíos.

Según GEORGE SANDERS, el 3 de julio de 1906 «ocurría en San Petersburgo, Rusia, algo de capital importancia. Un niño de asombrosa belleza e

infinito encanto estaba a punto de nacer». Aquel niño, por supuesto, era George Sanders. Los padres de este modestísimo actor habían nacido en Rusia, pero eran de ascedencia escocesa. Su padre era el mejor intérprete de balalaika de la ciudad. Huyeron de la revolución bolchevique y se instalaron en Inglaterra. La mayoría de sus parientes que se quedaron en Rusia fueron asesinados.

Terminado el colegio, Sanders consiguió trabajo en una empresa tabacalera argentina y pasó muchas horas en los burdeles de Buenos Aires. De regreso a Londres, actuó en varias obras teatrales y luego debutó en la pantalla como un

Gail Russell: persevera y triunfarás

dios montado a caballo en *The man who could work miracles*. Más tarde, se trasladó a Hollywood, obtuvo un contrato con la Fox y pronto lo encorsetaron en el prototipo del cínico. En varias películas hizo el papel del bruto nazi. Fue Charles Strickland (personaje basado en Gauguin) en *La luna de seis peniques* y lord Henry Wotton en *El retrato de Dorian Gray*. Los críticos lo adoraron en *Eva al desnudo*, en la cual aparecía como el acerbo amante de Marilyn Monroe. Este papel le valió el Oscar al mejor actor secundario.

Primero se casó con Zsa Zsa Gabor y luego con la hermana de ésta, Magda. Tuvo cuatro esposas y siete psiquiatras. La mayoría de las últimas películas son basura. El único papel interesante en los últimos diez años de su vida es el de una loca venida a menos en *La carta del Kremlin*. Su amigo Brian Aherne escribió que Sanders perseguía a las mujeres por su dinero y que las abandonaba apenas descubría que no eran lo bastante ricas.

El 25 de abril de 1972, se mató en Barcelona con cinco tubos de Nembutal. La nota que dejó rezaba así: «Querido mundo: me marcho porque estoy aburrido. Os dejo con vuestras preocupaciones en esta dulce letrina».

GIA SCALA nació en 1934 en Liverpool, Inglaterra, de padre italiano y madre irlandesa. Estudió arte dramático con Stella Adler en Nueva York y, en 1955, debutó en el cine en *Sólo el cielo lo sabe* de Douglas Sirk, secundando a Jane Wyman y Rock Hudson. Durante la década siguiente la atractiva morena de ojos verdes protagonizó varias películas inglesas y norteamericanas. Entre ellas, *Garras de codicia*, *El túnel del amor* y *Los cañones de Navarone* con Gregory Peck y David Niven.

En 1957, un taxista la encontró en el puente de Waterloo y la entregó a la policía londinense. Los amigos aseguraron que, angustiada por la muerte de su madre, planeaba arrojarse al Támesis. A principios de los años setenta empezó a beber seriamente y a fumar marihuana desaforadamente; intentó suicidarse para huir del mal recuerdo de una carrera marchita y del fracaso matrimonial con el agente de bolsa Don Burnett.

El 7 de febrero de 1971, ingirió insecticida y estuvo tan cerca de la muerte que llegaron a administrarle la extremaunción. Más adelante en aquel mismo año, un amigo informó que desde hacía tiempo siempre que la visitaba la encontraba borracha y que en varias ocasiones había entregado cuchillos a sus amistades rogándoles que la apuñalaran como un favor. Llegó a coleccionar citaciones por ebriedad y una por pasearse por Hollywood vestida sólo con un par de bragas. En mayo de 1971, durante la comparecencia a un juicio por conducir en estado etílico, se desmayó en la sala de juicios de Ventura y el juez la envió al hospital del Estado para que la examinara un psiquiatra. Dos meses después la condenaron a pagar una multa de 125 dólares y a vivir dos años en libertad condicional por perturbar el orden público (se había peleado con un vigilante de parking por cincuenta centavos). El documento que la condenaba a libertad vigilada rezaba: «Salud mental dudosa. Gasta el dinero en alcohol y es de temer que se emborrache hasta la muerte». El oficial responsable de controlarla añadiría: «Su manera de ser parece haber sido algo extraña durante mucho tiempo». El juez nombró a un albacea que endosara todos los cheques firmados por Gia Scala. Luego resultó herida al volcar su coche en una carretera cercana a Holly-

wood. El 30 de abril de 1972, se mató ingiriendo gran cantidad de drogas regadas con abundante alcohol. El cadáver fue descubierto por uno de los tres hombres que vivían en su casa.

La saga de JEAN SEBERG ha inspirado ya toneladas de artículos, folletines, libros, videohistorias y hasta, recientemente, una «tragedia musical» montada hace poco por el British National Theater y titulada precisamente *Jean Seberg*. El centro de tanta atención era una estudiante preuniversitaria de Iowa cuando Otto Preminger la eligió para protagonizar su *Juana de Arco*. La película fue un desastre comercial; los críticos no se mostraron amables con

Gia Scala: una mujer extraña
Jean Seberg →

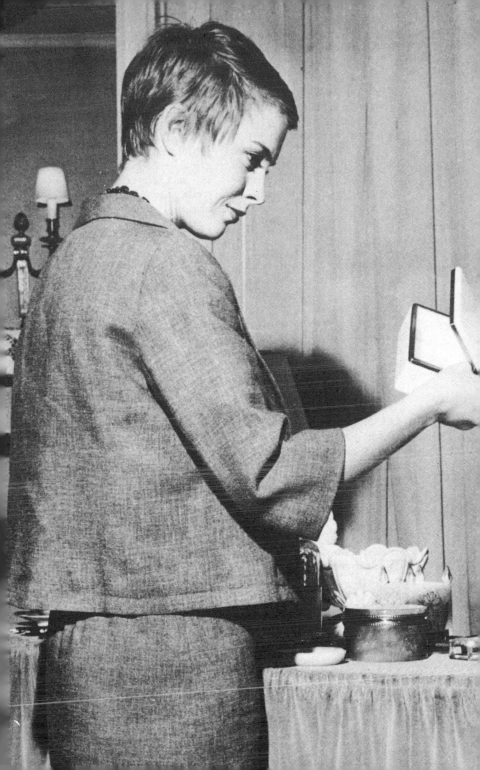

la joven de Iowa. Preminger, sin embargo, volvió a ponerla en *Buenos días, tristeza*. La carrera de la Seberg podía haber concluido ahí de no haber sido por su aparición en *A bout de souffle*, de Jean-Luc Godard, una película de la Nueva Ola francesa que suscitó un considerable alboroto entre los críticos. Seberg solamente hizo un film norteamericano más de cierto interés: *Lilith* de Robert Rossen, en el cual encarnó el vívido retrato de una bisexual catatónica.

Durante los años sesenta, mientras visitaba su país natal, se adhirió a movimientos políticos radicales y trabó amistad con dirigentes de los Panteras Negras. El FBI, en un intento por desacreditarla, difundió deliberados infundios como que la actriz había quedado preñada de un miembro de los Panteras Negras. La oficina de Los Angeles del FBI pidió permiso a la central para «publicitar el estado de gravidez de Jean Seberg, mediante la comunicación de la noticia a las revistas de chismes de Hollywood». Desde su despacho de Washington, J. Edgar Hoover respondió que «Jean Seberg prestaba ayuda financiera a los Panteras Negras y debía ser neutralizada». «El hecho de que, pese a tener marido, actual-

mente se halle embarazada de (espacio en blanco), brinda la oportunidad de llevar a cabo tal esfuerzo.» El «Los Angeles Times» agradeció el favor de Hoover publicando un insensato artículo de la chismógrafa Joyce Haber, en el cual se hacía referencia a cierta estrella cinematográfica internacional que apoyaba la revuelta negra y en ese momento esperaba un bebé. «Se rumorea que el padre es un destacado miembro de los Panteras Negras.» El artículo de la Haber aportaba datos suficientes para deducir que la dama en cuestión era Jean Seberg.

El novelista Romain Gary, marido de Seberg, declararía más tarde que el responsable directo del suicidio de la actriz había sido el FBI. El niño murió al nacer. Ella llevó el cadáver del niño a su pueblo natal de Iowa y lo exhibió en un ataúd de cristal para que todos pudieran comprobar que era blanco. Romain Gary añadió: «Después de aquello, Jean entró en un proceso psicótico. Cada año intentaba suicidarse cuando se acercaba la fecha del aniversario de la desgracia».

Seberg se divorció de Gary y, aunque siguió siendo buena amiga del novelista, contrajo matrimonio dos veces más. El

8 de septiembre de 1979, en el asiento trasero de su Renault blanco, encontraron su cadáver descompuesto y envuelto en una sábana. Estaba allí desde hacía una semana. Desde hacía cierto tiempo andaba muy paranoica y creía que su nevera la espiaba. Se dio muerte con una enorme cantidad de barbitúricos. La nota que dejó decía: «Los nervios no me dejan seguir viviendo».

J. Edgar Hoover

El pelirrojo y pecoso EVE-RETT SLOANE, que llegó a erigirse en uno de los actores de reparto más notables y mejor remunerados de Hollywood, había nacido en Nueva York e iniciado su carrera profesional en la radio. Por una extraña coincidencia, durante mucho tiempo los oyentes lo identificaron con un muchacho judío —Sammy Goldberg—, hijo del matrimonio que daba nombre al popular serial radiofónico «The Goldbergs», y luego, en un centenar de otros programas de radio, con el ínclito A. Hitler.

En 1938 se integró al Mercury Theater de Orson Welles y con éste vino a Hollywood.

Realizó una interpretación extremadamente conmovedora en su debut en la pantalla en el personaje de Bernstein en *Ciudadano Kane*. Igualmente bien estuvo en el papel de Kopeikin en *Viaje al miedo*. Todavía mejor fue su creación de Arthur Bannister, el marido impotente de Rita Hayworth en ese memorable fracaso de Orson Welles que fue *La dama de Shangai*. Los dos últimos papeles que Sloane interpretó sirvieron de soporte a Jerry Lewis. Pero se estaba quedando ciego y, el 11 de julio de 1965, bajó el telón de una estupenda trayectoria con un puñado de somníferos en su casa de Los Angeles.

Everett Sloane: que apaguen las luces

INGER STEVENS apareció en trece películas y no estuvo interesante en ninguna de ellas. Había nacido en Suecia en un hogar deshecho. Viajó a los Estados Unidos con su padre, pero muy pronto huyó de él y, a los dieciséis años, se inició en el espectáculo en una vulgar sala de revistas de Kansas City. Luego fue a Nueva York y se hizo corista en el Barrio Latino. Fue alumna del Actor's Studio y llegó a ganar una discreta fama gracias a la serie televisiva «The farmer's daughter».

Su debut cinematográfico

se produjo en 1957 con *Man on fire*. Su agitado romance con un compañero de rodaje, Bing Crosby, la colocó fugazmente en los titulares de la prensa. Se casó con su agente; el matrimonio duró cuatro meses. A una amiga le confesó: «Muchas veces me siento deprimida. Vengo de un hogar destrozado, mi matrimonio fue un desastre y casi siempre estoy sola». En su penúltimo film, *Castillo de naipes* parecía una pálida zombie.

Recibió el Año Nuevo de 1959 tragando veintinueve pastillas para dormir y medio frasco de amoníaco, pero el intento de suicidio fracasó. El día 1º de mayo de 1970 apostó más fuerte: se zampó una enorme dosis de barbitúricos. Cuando la encontró la amiga con quien compartía una casa de Laurel Canyon estaba todavía con vida, pero murió camino del hospital.

MARGARET SULLAVAN fue una de las actrices más fascinantes y electrizantes de la historia de Tinseltown. Su arte interpretativo llevaba el sello de la inteligencia y la honestidad. Pero también era una mujer muy retorcida: insegura, temperamental y neurótica. Odiaba ser actriz. La biografía familiar, escrita por su hija Brooke Hayward,

Inger Stevens: ingresó muerta

lleva el significativo título de *Haywire* (Desquicio).

Alcanzó sus mejores momentos en dos films de Frank Borzage, *Tres camaradas* con Robert Taylor y Lionel Atwill y *The mortal storm*. Asimismo en una deliciosa comedia de Lubitsch *El bazar de las sorpresas*. Una compañera de cartel en *Cry havoc*, epopeya bélica sobre enfermeras en Bataan, producida por la MGM en 1943, observó que a lo largo de todo el rodaje la Sullavan no paraba de tragar pastillas.

En 1956, abandonó los ensayos del espectáculo televisivo que protagonizaba para internarse en una clínica privada de Massachusetts. Tres años después decidió regresar a las tablas y trabajó en New Haven en *Sweet love remembered* en un período de prueba antes de que se estrenase en Broadway. La obra se hallaba en cartel cuando, el día de Año Nuevo de 1960, en el Taft Hotel de New Haven, Margaret se mató con una sobredosis de somníferos.

LUPE VELEZ, el «Huracán Mexicano», fue uno de los mitos vivientes de Hollywood. Había nacido al sur de la frontera para ser bautizada con el nombre de María Guadalupe Vélez de Villalobos.

Educada en el convento de San Antonio, irrumpió en el mundo del cine en 1926. Causó enorme impresión como compañera de Douglas Fairbanks en *The gaucho*. Fue notable su aportación a *Drama de arrabal* de D.W. Griffith, sin por ello dejar de gozar de una gratificante vida privada: tras una breve relación con John Gilbert, se lió con el joven galán Gary Cooper. En 1933, se casó con Johnny Weissmuller, Tarzán, el Hombre Mono, y una vez divorciada de él pasó por los distintos brazos de un pequeño regimiento de amantes: vaqueros, acróbatas y gigolós norteamericanos. Pero su carrera se fue desmoronando y durante los últimos años casi no actuó más que en comedias

Margaret Sullavan: algo se desbarajustó

serie B junto al deprimente Leon Errol.

En 1944, endeudada hasta el cuello y embarazada de su más reciente amante, Harald Ramond, Lupe decidió escenificar con sumo cuidado la última noche de su vida. Encargó un inmenso ramo de flores, invitó a dos amigas a la Ultima Cena y luego, a las tres de la mañana, se quedó sola en su falsa hacienda de Rodeo Drive. El dormitorio era un mar de nardos y gardenias; resplandecían las llamas de varias docenas de velas. Vestida de lamé plateado, la Lupe se instaló en aquel altar a la propia muerte, escribió una nota de despedida al padre del feto, abrió un frasco de Seconal y se zampó las setenta y cinco bolitas. Las manos enlazadas en ademán de plegaria, se tendió en la cama

Lupe Velez con Blackie y Withie

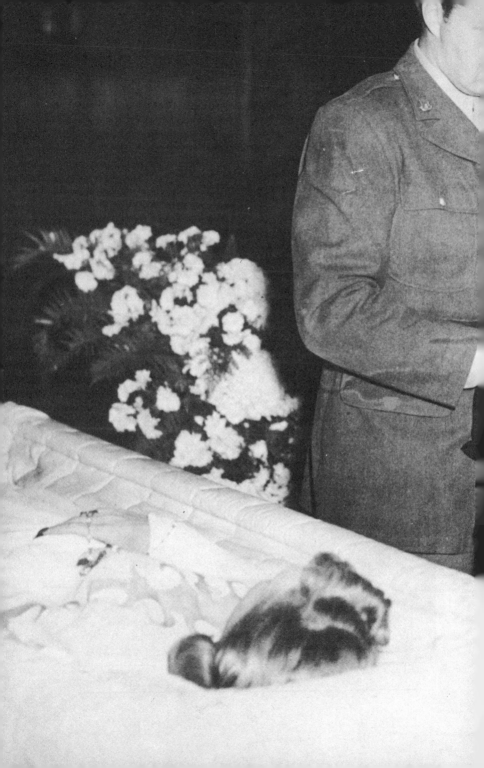

escefinicando así lo que ella vería como una imagen fotográfica final de exquisita belleza. Precisamente *esa* foto no se tomaría nunca. El Seconal no quiso mezclarse bien con la picante Ultima Cena. Lupe empezó a vomitar, dejando una hedionda estela de vómito desde la cama hasta el baño, donde resbaló en las baldosas y cayó dándose de cabeza contra el borde del lavabo. A la mañana siguiente el cadáver fue descubierto por Juanita, la doncella. La imagen no era bella ni conmovedora.

En 1917, GEORGE WEST-MORE fundó el primer departamento de maquillaje de la historia del cine. Westmore sembró mucho más: toda una dinastía que, a lo largo de los años, se encargaría de los departamentos de maquillaje de la Universal, la Warner Bros., la RKO, la Paramount y la Selznick. Perc Westmore, que presidió durante muchos años la Warner, se casó con Gloria Dickson, hermosa protagonista de *They won't forget*, que moriría trágicamente en un incendio. Bud, el más guapo de los hijos de George, no sólo reinó sobre las cajas de polvos de la Universal, sino que además encontró tiempo y ganas para casarse con Martha Raye. En su no-che de bodas, La Raye durmió con un revólver bajo la almohada por si el marido intentaba propasarse. Era evidente que el matrimonio no tenía gran porvenir. Y así fue. Buddy no tardó en encontrar una vida de dicha hogareña más satisfactoria junto a Rosemary Lane.

Los mellizos Perc y Ern tenían sólo nueve años cuando papá George les enseñó a fabricar pelucas. George y su hijo Mont realizaron todo el maquillaje de *Rey de Reyes* de De Mille, trabajo éste nada sencillo si tenemos en cuenta que el Cristo elegido por Cecil, H.B. Warner, era un borracho empedernido que todas las mañanas se presentaba en el estudio abotargado y ojeroso, no precisamente en la mejor forma para convertir su rostro en emblema de santidad. Y fue Mont Westmore quien le depiló las cejas a Valentino y se las rediseñó, le untó los labios con vaselina para que brillasen y, en definitiva, quien le dio a Rudy su característico peinado hacia atrás y las patillas cortadas en ángulo.

Enlatada ya *Rey de Reyes*, el viejo George abrió un salón en Hollywood Boulevard, convencido de que él sería el zar del maquillaje en Tinseltown. Resultó ser que todas

---

← *Madre y hermanas de Lupe llorando en el funeral de Lupe Vélez*

las estrellas preferían a los hijos de Westmore que al papá. Esto destrozó a George; no soportaba la rivalidad de sus hijos. Había deseado que en 1926 le nombraran jefe del departamento ampliado de maquillaje de la Paramount, pero la elección recayó en su hijo Wally, de sólo veintiún años. Luego George estaba seguro de que le nombrarían jefe del departamento de la RKO, pero el puesto fue a parar a su hijo Ern. En 1931, Ern obtuvo un Oscar por su trabajo de maquillaje en *Cimarron*. El viejo fabricante de pelucas se tiraba de los pelos; pocas semanas después de que Ern ganara el Oscar, George Westmore ingirió una poción a base de bicloruro de mercurio y, tras cuatro días de agonía, murió cuando el mejunje llegó a las tripas.

George Westmore: muerte lenta

GRANT WITHERS nació en 1904 en Pueblo, Colorado. A comienzos de la década de los años veinte llegó a California como reportero de «Los Angeles Record» y en 1926 se dejó tentar por el cine. Protagonizó algunas películas serie A, pero pronto fue relegado a seriales, films de bajo presupuesto y papeles secundarios. Trabajó más de una vez para John Ford. Entre sus películas están *Jungle Jim, Mr. Wong, detective, Tennessee Johnson, The fighting seabees, Pasión de los fuertes, Fuerte Apache, Río Grande* y *The Sun shines bright*. Cuando más se acercó a la fama, fue cuando contrajo matrimonio en 1930 con Loretta Young, quien entonces tenía diecisiete años y triunfaba como «Wampas Baby». Causó sensación en la prensa. El casamiento fue anulado al año siguiente. John Wayne fue testigo en la boda de Withers con su quinta mujer, la bailarina cubana Estelita Rodríguez. Hacia el final, su actividad se reducía a series de televisión.

El cadáver de Withers, tendido en la cama de su apartamento de soltero en North Hollywood, con las gafas puestas y el auricular del teléfono en la mano, fue descubierto el 28 de marzo de 1959.

El actor se había suicidado con una sobredosis de píldoras para dormir. Dejó una nota que decía: «Os ruego me perdonéis. He sido muy desgraciado. Esto es lo mejor. Gracias a todos mis amigos. Siento dejaros en la estacada». El mayordomo declaró que desde hacía tiempo le preocupaba su situación financiera. En cuanto a Loretta Young, informada de la muerte de su ex-marido cuando regresaba del servicio religioso de Viernes Santo, exclamó: «Oh, cuánto lo siento».

EL FILO DE LA NAVAJA

El popular equipo cómico integrado por Bobby Clark y PAUL MC CULLOUGH se apuntó muchos triunfos en Broadway a comienzos de los años veinte, primero en *Music box revue* de Irving Berlin; luego en *The ramblers*. Habían sido amigos desde la infancia. Primero actuaron como payasos en el circo y después en teatros de *burlesque*. El sello particular de Clark era un par de «gafas» que se pintaba en el rostro. Mc Cullogh ostentaba un ridículo bigotito «cepillo».

En Nueva York rodaron para la Fox varios hilarantes cortometrajes, cuyo éxito fue tal que el estudio los trajo a Hollywood para que protagonizaran una serie de films

sonoros de duración media. Sus films, producidos por la RKO a comienzos de los años treinta, estaban repletos de gags insolentes. Las obras más notables de aquel período son *Pig's eye, In the Devil's doghouse, Melon-drama* y, sobre todo, *Odor in the court*, de un nihilismo tan alocado como el de los mejores films de los hermanos Marx. Después de una agotadora temporada de trabajo en la RKO en 1935, seguida de una gira inmediata con la obra teatral *George White's scandals*, Mc Cullough cayó de agotamiento nervioso. Decidió internarse él mismo en un sanatorio de Massachusetts. Hacia marzo de 1936, parecía haberse recuperado, y Clark fue a buscarlo para llevárselo. Ya en el camino de casa, Mc Cullough comentó casualmente que necesitaba afeitarse. El coche se dirigió a una barbería. Mc Cullogh entró y habló animadamente con el barbero. Se sentó en el sillón pero, antes de que se le pudiera detener, había abandonado ya este mundo. Su mirada cayó sobre la reluciente navaja que el barbero acababa de limpiar y dejar en la jofaina. El comediante la agarró y de un tajo se abrió el cuello de oreja a oreja.

Paul McCullough y Bobby Clark: la venganza de un hombre intachable

Rudy Valentino: navegando y en la playa

← *De Havilland: Olivia y encaje*

Harold Lloyd: el actor con muchos hijos ilegítimos
Papaíto querido: Wallace Berry e hija adoptiva →

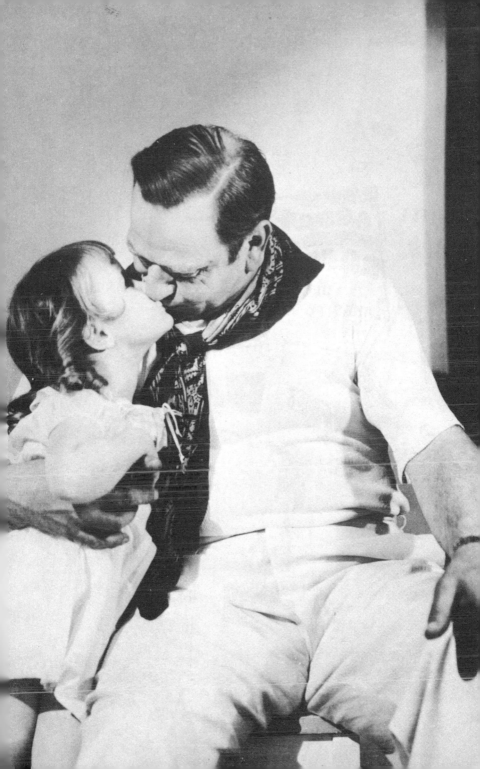

Clara
in
"Trees"
YOUNG
in
"A VERY YOUNG
EST GETS
GEORGE
RAFT
in
"GANGSTER
Joan
CRAWFOOT
744
ARTHUR
TREACHER
IN
WEST
WILLIAM
POWELL
AND
MYRNA LOY
in
"NUTS TO WILL
HAYS!"
by Hardon Ever
241
and
ROGERS
in
ERROL
FLYNN

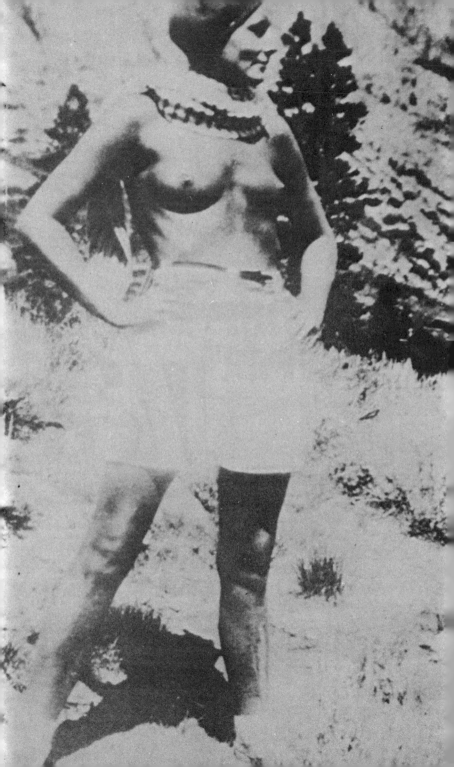

Carmen Miranda sostenida por César Romero: ventilando interiores
← *Greta Garbo tomando el sol*

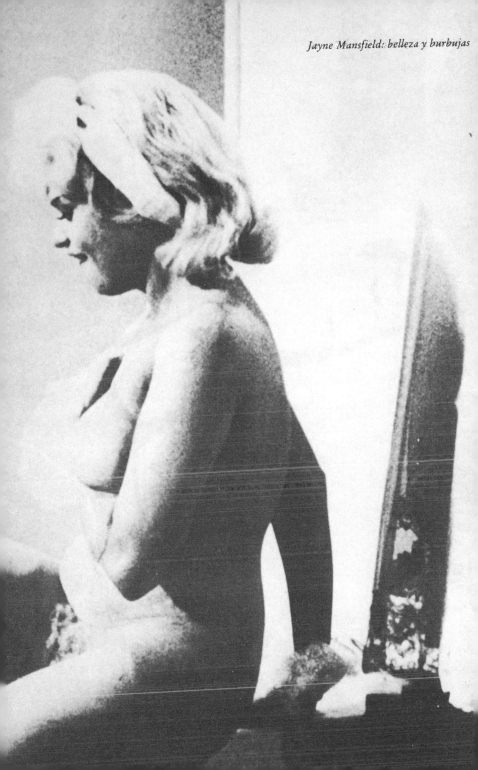

Jayne Mansfield: belleza y burbujas

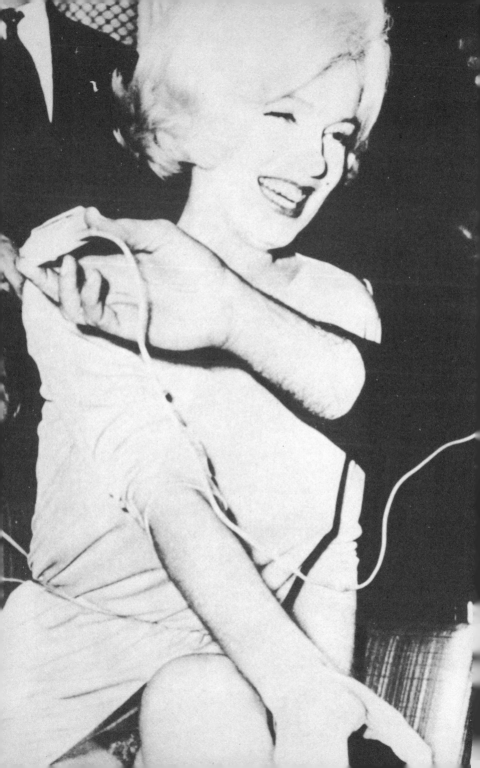

Fotografía fuera de circulación de Jean Harlow
← *Marilyn Monroe: refrigeración natural*

Sean Connery y una amiga
   Zero Mostel echa una miradita al escote de Shirley Temple →

PAGINA ESCARLATA
DEL LIBRO DE LA VIDA

★★

Toda madre... todo padre...
debería ver esta película...
Es un sensacional drama
humano, lleno de pathos y
patetismo... Una historia
capaz de satisfacer
y conmover a la vez
toda una nación

ARRIESGADA

¿Debería una niña recibir educación sexual por la práctica?

PAGINA ESCARLATA DEL LIBRO DE LA VIDA

*Osada... cruda... honesta... sincera... pero dirigida
con tal delicadeza que no permite burlas*

¿ES EL CONOCIMIENTO DEL SEXO BENEFICIOSO O PERJUDICIAL?

*Muchas escenas excitantes ha
captado las cámaras de
Hollywood, pero ninguna
comparable al clímax de esta
bella historia de amor y devocio*

¡ATREVIDISIMA

****

*¿Es la muerte preferible a la deshonra?
No responda a ciegas. Este film le abrirá los oj*

S ensacional
r E veladora
e X traordinaria
ch O cante

*De una osadía asombrosa... sin temor en
planteamiento... Revela con sinceridad...
Maneja con maestría las situaciones más
delicadas...*
Una advertencia dirigida a los padres de l
Estados Unidos, que jamás podrán entend
la presente locura juvenil si no descubren u
mundo ignorado.

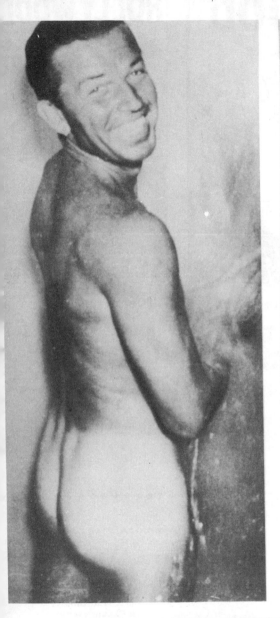

Bruce Cabot lavándose   Groucho como Lydia, la Reina del Tatuaje
¿De qué se ríe? Sabe que no puedo publicar una foto indiscreta de él →

Hospital de Hollywood

¡Con tanto loco aquí dentro, acabaré como uno de esos chiflados!
Esto decía la carta que MA-RILYN MONROE garabateó desesperadamente en la Ultima Estación, el manicomio. (La madre de la actriz había bajado del tren en la misma estación, y allí había acabado sus días.) Para Marilyn aquello era el Nido de Víboras, el Depósito de los Malditos.

La verdad es que Marilyn *sí* estaba emocionalmente enferma, pero la Clínica Menninger de Kansas City no era el lugar más indicado para internarla. El ruego que dirigió a Lee Strasberg quedó sin respuesta; el insigne profesor dramático carecía de «autoridad» para rescatarla del «cuidado de los médicos».

Hollywood y la enfermedad mental. ¿Acaso no están *todos* chalados allí?, he oído preguntar. No, algunos se lo han montado muy bien, gra-cias. Allá por los años treinta, el «loco» de Bob Hope compró, con el dinero de su primera película importante y de los programas de radio, hectáreas y hectáreas de desierto alrededor del minúsculo poblado de Palm Springs. ¡Loco como una cabra! Crosby y él se peleaban por comprar terrenos baratos, cuando aún había terrenos baratos. Atraviesen ustedes en coche el va-

Rita vigilada por guardias de seguridad
← *Rita Hayworth en el aeropuerto: primeras señales del mal de Alzheimer*

lle de San Fernando de un extremo al otro. Pues bien, habrán entrado en lo que antaño era la Der Bingle Land y, hoy, la Bob Hope Land: kilómetros y kilómetros de aburridas y brumosas urbanizaciones. Allí solían crecer nogales.

A otros no les fue tan bien. Algunos perdieron la cabeza. La demencia senil cayó sobre la Diosa del Amor, RITA HAYWORTH. Al menos sabemos que se trata del mal de Alzheimer. Ahora Rita lleva pañales y le tienen que llevar la cuchara a la boca. Por suerte tiene a una hija que le dedica su vida.

También BEA LILLIE, quien por lo menos está más cerca de la edad en que se supone que las cosas ya no pueden ir tan bien, es presa de demencia senil. Durante su última aparición en el Museo de Arte Moderno, tuvieron que ayudarla a subir al escenario del Titus Auditorium, donde procedió a desabotonarse la blusa ante una fascinada audiencia de cinéfilos que se flipaban ante dos péndulos y sus ajados pezones. (Un enjambre de agentes de seguridad del Museo se apresuró a rodearla y a sacarla de allí ante sus atronadoras protestas. ¡Bastardos! ¡La estrella de *On approval* se lo estaba pasando en grande!)

GENE TIERNEY. Ella sí tuvo motivos para desmoronarse, la pobre. Soportar día tras día a un hijo subnormal no es moco de pavo.

GEORGE ZUCCO. Este maravilloso actor de reparto, el perfecto Sacerdote Mayor de la Atlántida de Satán, el hombre de los inquietantes ojos vidriosos, de los gestos veloces y desconcertantes, y de la voz gatuna, terminó sus días en un manicomio, tras empezar a creerse el villano que

«Gene Tierney ha regresado a la clínica Menninger para recibir atención psiquiátrica dejando de lado al menos de momento, el sueño de empezar una nueva carrera en Hollywood.»

Gene Tierney: malos tiempos

← *Bea Lillie: grande es el olvido*

tanto la Monogram como la PRC le obligaban a seguir encarnando. Unos tipos en bata blanca se llevaron un día al Gran Sacerdote Mu de Egipto y La Atlántida, vestido de espectro de la muerte con ropa robada a la Monogram.

Sus fieles mujer e hija se trasladaron con él al manicomio, con la esperanza de que su presencia lo ayudaría a recobrar su sentido de la realidad. Pero no fue así. George Zucco se deslizó definitivamente por los bancos de niebla del Atlántico, en una noche tenebrosa, debatiéndose contra un paroxismo de *terror* y astío, gritando que la estaca del Gran Dios Cthulu le atravesaba el cuerpo.

George Zucco murió de miedo en el manicomio. A la noche siguiente, incapaces de vivir sin su medio de vida, incapaces de enfrentarse a Tinseltown sin George, hija y esposa lo siguieron a la muerte.

Llámenlo Angel de la Calma. Pero quien llamó fue el Príncipe Sirki.

George Zucco: muerte en el manicomio
María Ouspenskaya y Linda Darnell: dos víctimas de las llamas →

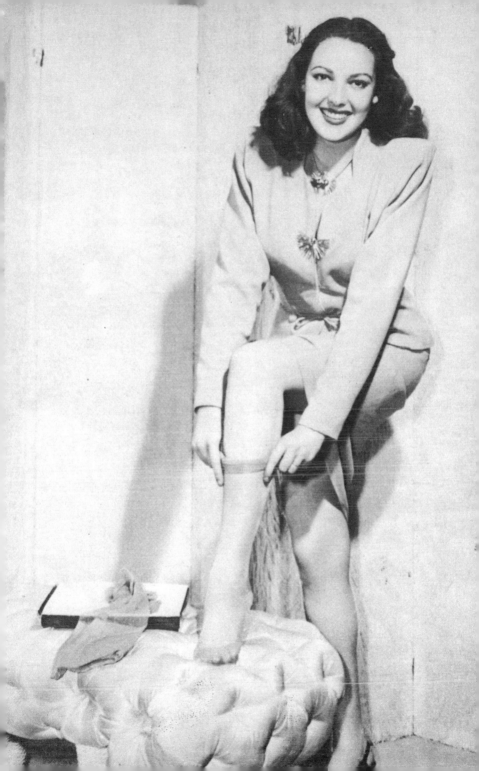

Corinne Griffith: *negando ser ella*

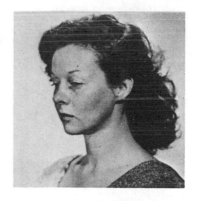

Monty Clift después del accidente

María Montez: murió escaldada
Susan Hayward: tumor cerebral

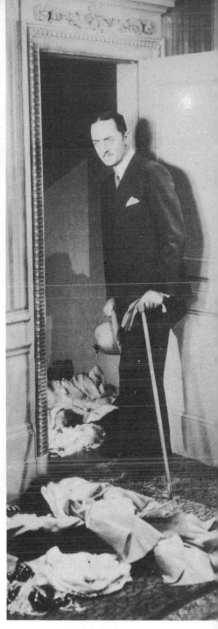

← *Marlene Dietrich y su escayola de un millón de dólares*
       Ellie Powell y William Powell: valientes víctimas del cáncer

373

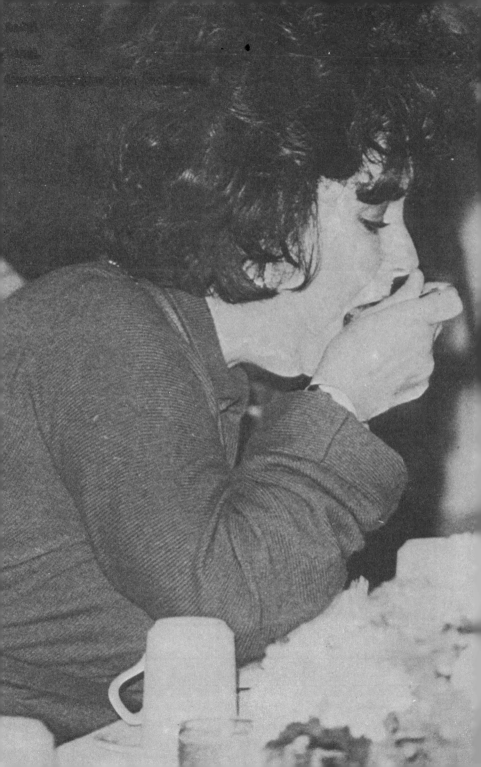

La princesa púrpura

Come
Come
Abre la boca y cébate

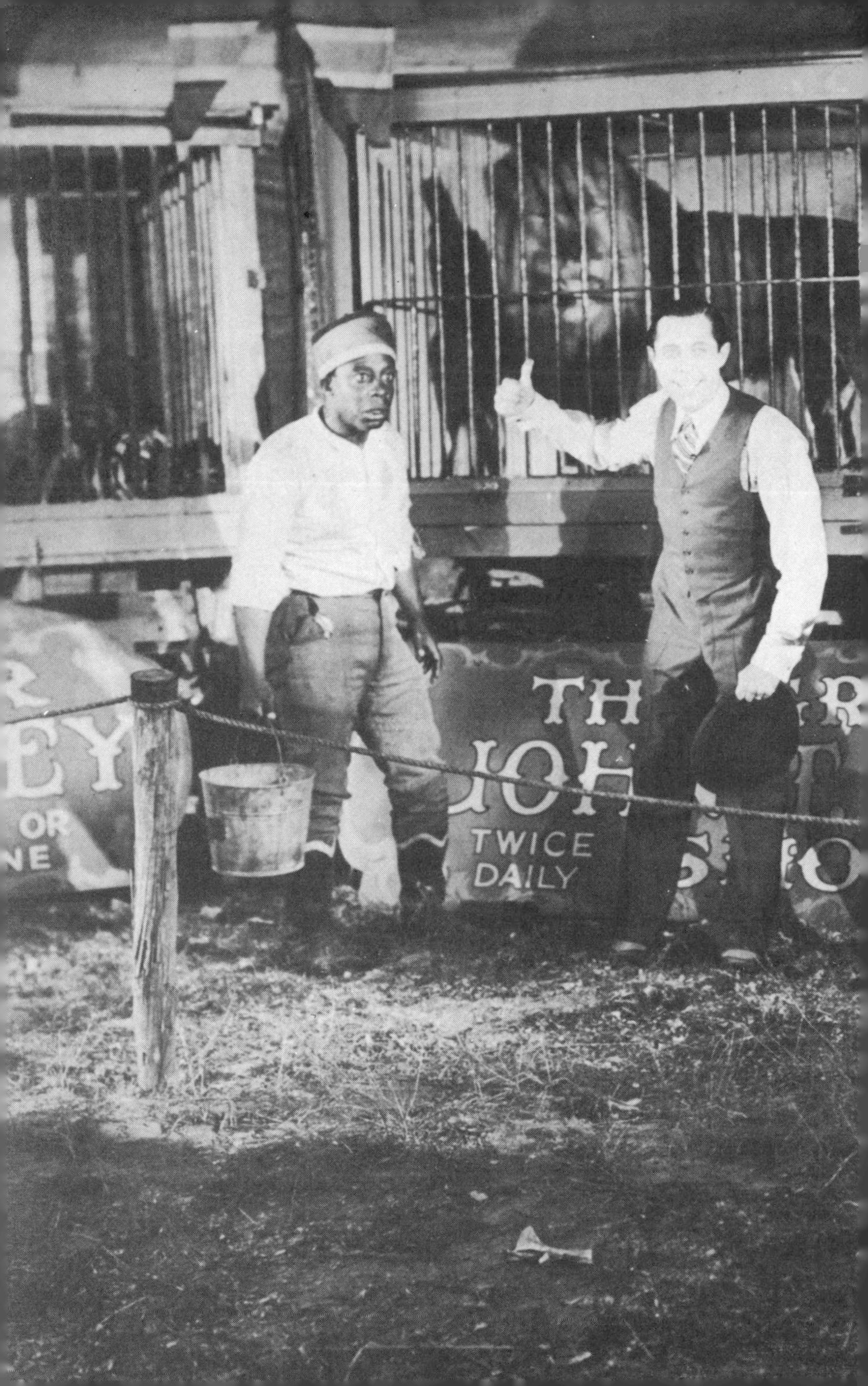
TWICE
DAILY

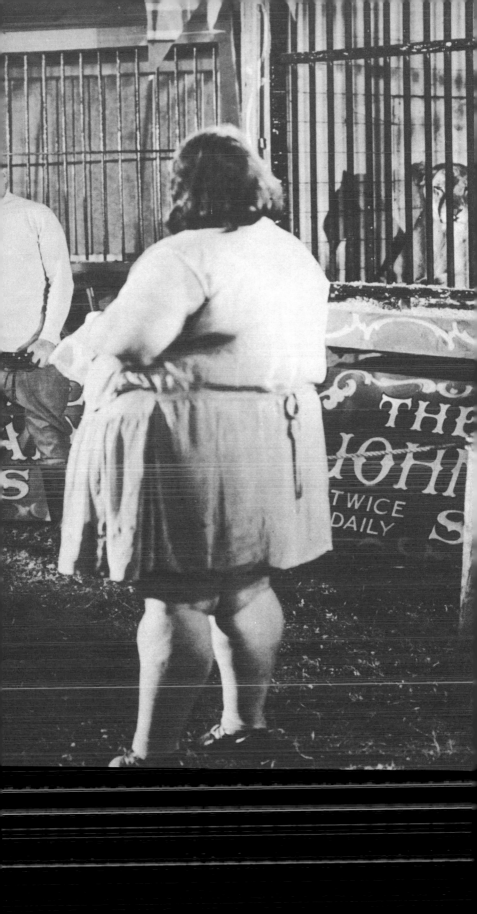

Hollywood Drugstore

La Nueva Ola de la Droga irrumpió en Hollywood con buena estrella el día en que Louise Lasser (¿se acuerdan de «Mary Hartman»?), señora de Woody Allen, se sentó aturdida en la moqueta de una lujosa boutique de Rodeo Drive y empezó a hurgar en su bolso aparentemente sin fondo en busca de algo que *tenía* que encontrar, y a arrojar en remolino al suelo cachivaches de mujer, utensilios higiénicos y de maquillaje hasta dejar la espesa moqueta cubierta de objetos revueltos. *El Círculo del Caos.*

¡Pero la perseverancia obtiene recompensa! La indomable Louise encontró al fin el paquetito de papel metálico que estaba buscando —¿un chiclé con su sabor favorito, tal vez?—, y ya se iba a incorporar cuando los polis de Beverly Hills —avisados por la lívida dueña de la tienda, quien por otra parte *hubiera debido darse cuenta*— apare-

ció y se la llevó presa. Y ahí estaba Mary Hartman, la de las trenzas, la heroína de manual del hogar electrónico norteamericano, en las primeras planas de todo el país, en titulares tipo MARY HARTMAN DETENIDA POR CONSUMO DE COCAINA que, según el periódico, sufrían sólo ligeras variaciones.

Todo esto figura en los archivos policiales y queda en

Louise Lasser: detenida por llevar cocaína

← *Lon Chaney fumando una pipa de opio*

GOOD GOSH! OPIUM!

WALT DISNEY—

Copyright © Walt Disney Productions

remojo en el hispánizante Cuartel General de la Policía de nuestra ciudad más rica, Beverly Hills. De modo que, puesto que es *caso archivado*, los líos legales de mis *propios* hombres en la oficina de información me permiten escribir sobre esto. (¿Pero cómo? ¿Un tipo como yo, libre de escribir sobre lo que se me antoje? ¡En el retrete del Studio 54, tal vez!)

Barbara La Marr tenía *su* coca encima del gran piano de cola en una bandeja de plata. En aquella época, no sólo había rostros, también tenían clase y buen gusto.

A cada cual su ícono, porque cada cual se lo ha hecho.

¿Dónde está el estilo de un Richard Dreyfuss, ciego de coca, estrellándose contra una palmera?

¿Dónde el estilo en ese exculpatorio *mea culpa* de Robert Evans, una llamada «advertencia a la juventud», película que, por indicación del juez, se suponía que estaba obligado a hacer sobre el peligro de ir por ahí jugueteando con drogas? ¿No fue en definitiva su propio caso el que Evans, ese jugador de agua dulce, quiso reflejar en el presuntuoso mensaje antidroga encubierto de su pequeño testimonio personal? ¿O, como se rumorea, hizo *Cotton Club*, para darse tono?

Ahora de lo único que se preocupa Coppola es de su adicción a la *comida*, el llamado Síndrome de Liz Taylor. Las enfermizas juergas de Francis, legendarias en los días de *Apocalypse*, han escaseado por culpa de las dosis diarias de *lithium*, droga que, tomada en cantidades equivocadas, es un veneno mortal, pero que los genios de la medicina y los matasanos en general consideran el remedio contra la Gran MD (Manía Depresiva: ¿conoces?).

El chequeo que Liz Taylor se hizo en una clínica no era tanto para quitarse unos kilos de encima —aunque, después de que en *Private lives* se rieran de ella, medio mundo empezó a repetir el chiste de «es como querer meter diez kilos de mierda en una bolsa de cinco» —sino para intentar ejercer cierto control sobre todo el arcoiris de píldoras que día y noche se metía en el cuerpo. *Liz Cabeza de Pastilla*. Pero ¿será posible? ¡En esa «clínica» de reposo y baños se les ocurrió someterla a sesiones de psicodrama sado-masocas, terapia Hollygrotesca que incluía fregar alfombras a lo Joan Crawford (para expiar la culpa), lavar la ropa, barrer y, cómo no, *¡sacar el cubo de la basura!* ¡Y la pobre Liz con una hernia discal!

Pero si hasta a la chica de *El*

exorcista*, la chiquilla Blair, la pillaron con restos de polvo blanco en el bolso (bueno, era sólo polvo para esnifar), y la heroína de cierto disparo, Jodie Foster, olvidó esconder el gramo de polvo en *su* bolso al pasar por el control del Aeropuerto Logan de Boston.

Y hablando de negligencias: algo parecido le ocurrió al mismísimo protagonista de *Psicosis I y II*, el macilento, encorsetado y neurótico cincuentón Tony Perkins (el psiquiatra le habrá echado la culpa a Papá Osgood) a quien, durante otro grotesco episodio de aeropuerto, sorprendieron en posesión de una carga de sensimilla y tres secantes de LSD —era pura nostalgia y, si no, pura diversión: ¿recuerdan el LSD?— que llevaba en *su* bolso al bajar de un Concorde en Londres.

En Hollywood, la diferencia entre la Droga de Ahora y la Droga de Antes es que hoy en día se ha vuelto *democrática*. Quiero decir que ahora todo el mundo se atiborra a gusto: mensajeros, tramoyistas, responsables de efectos especiales, hasta los chicos que revelan los rollos en el laboratorio y algo de eso pasa a la pantalla. Ha habido algunos errores. A algunos especialistas varones les ha ido

Barbara La Marr: pionera de la permisividad

francamente mal. Otros especialistas mujeres se han quedado paralizadas. Algunos helicópteros han caído al suelo como pesos muertos, decapitando a actores y esto *no* estaba en el guión, a pesar de que Hollywood suela revolcarse en un charco de sangre.

Oh, Cocaína, ¿dónde está tu aguijón?

Imagínese una inmensa fuente de cocaína pura —estoy hablando aquí de pasta grande— apilada en una pirámide alta y condenadamente blanca y resplandeciente, y luego imagínese al burdo, sudoroso cómico con cara de cerdo —un actor de Comedia Barata, *muy* barata— sumergiéndose en ese montón hasta salir casi ahogado, como una empolvada y paródica versión de Pierrot. Luego, un destacamento de secretarias-y toda la cuadrilla de chicas Playboy, responden a la llamada de ese empolvado comediante —al

Bob Evans y Ali McGraw: por la vía rápida

382

fin y al cabo *él* lo ha pagado, o, mejor dicho, le pagaron con eso— para lamerse la grande y oronda cara de luna. *Liquidación total en John Belushi*, el Clown de la Coca. En la carretera del Chateau Marmont.

Esto ocurrió durante el largo, larguísimo rodaje de *Granujas a todo ritmo*, cuando Byrne, el alcalde de Chicago, concedió a cierto bar inmunidad total y permiso para permanecer abierto las 24 horas. (Ahora bien, yo pregunto: esa multitud de coches destrozados, la locura general, esa confusión, ¿les pareció a ustedes *tan gracioso*? Entonces, ellos, los muchachos que idearon esa película de choques pensaban que el film era *divertidísimo* —¡un despelote! Mal asunto, pero pudieron flipar a todo su público.) Pero, hablando de tormentas de polvo, ¿se acuerdan de *1941*?

Nadie se sorprenderá de que tanta temeridad, tan demencial imprudencia, haya desembocado en una triple tragedia, en la *Región de las Penumbras*. Tarde o temprano, Karma aparece: hasta los nuevos «atrevidos» jóvenes de oro de Tinseltown tienen que pagar su tributo.

Bueno, ahora dicen que hay productos para acabar con la

ONE NIGHT OF BLISS FOR A THOUSAND NIGHTS IN HELL!

CAN THEY TAKE IT JUST ONCE AND THEN QUIT?

—just a Few grains of Dope —but it changed their lives!

AUTHENTIC DISCLOSURES ASTOUNDING FACTS— a True Biography that leaves Nothing to the Imagination —a sensation in screen Thrills—

SEE "NARCOTIC"

Women Crave for it, Men will Slay for it, Both will Die for it!

coca-dicción y que el resto de los norteamericanos sonados pueden llamar al 800-C-O-C-A-I-N-E pidiendo ayuda.

La nota al pie de página más triste de todas me la proporcionó una prostituta de lujo de Hollywood, quien jura que ni ella ni sus costosas amigas volverán a tratar nunca con ciertos Notables de la Coca, no importa cuánto dinero les ofrezcan. ¡Hay for-

---

Escandalosa película de los veinte. Ruinas humanas →

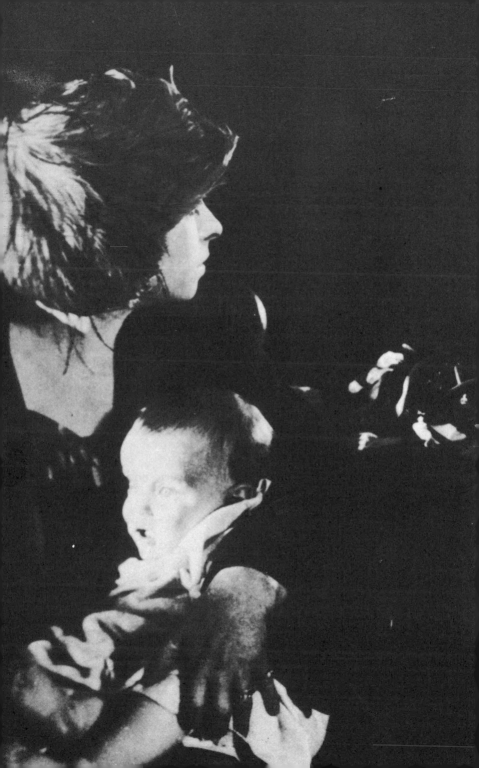

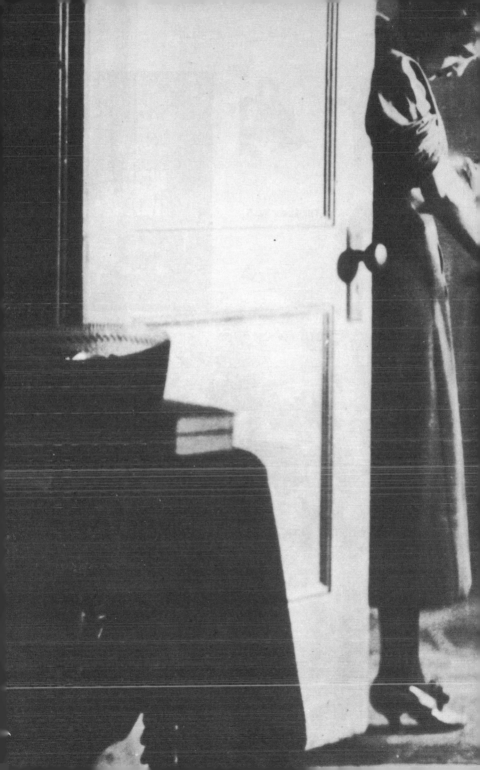

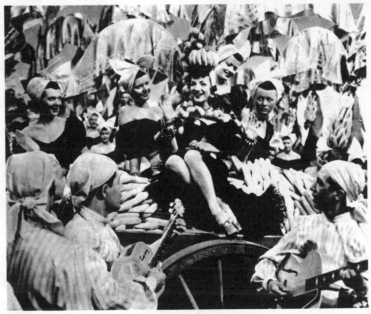

«Cocaína, el escalofrío que mata»: título profético
Carmen Miranda escondía la coca en las plataformas de sus zapatos

Alma Rubens: muerte por droga

mas mejores de pasar la noche que afanándose infructuosamente en un pene fláccido, aquejado de Desmayo Final! Sí, estoy hablando de impotencia. (Al igual que en la última parte de *Scarface II*, esto afecta a cantidad de famosos.) ¡Y sin embargo, la arrogancia de los muchachos, arbitrario producto de sus mentes, les indica que es deber de las chicas *levantársela por* ellos! Pero esto no es cosa del amor y hasta las prostitutas se niegan. ¿Mentecatos desinflados por la coca? No, gracias.

¡Salud al fulgurante e indómito cometa Richard Pryor, que destella en la noche de Tinseltown! ¿Alguien quiere gasa para heridas?

Nita Naldi: elegante estrella

Nita Naldi, elegante adicta horas antes de morir →

Jornadas en el Valle de la Muerte

¡Cortadle las piernas!

Sam Wood

Hedda, Louella y todos en Hollywood consideraban que Jane y Ronnie eran el matrimonio joven más encantador, simpático y feliz de la ciudad. Cuando en 1949 se divorciaron, hubo tristes olas de desánimo. Resulta por demás curioso que fuese aquél el único caso de divorcio de la historia en el cual dos películas de la Warner Bros. fueron incluidas como causantes del divorcio. En 1948, Reagan le había adelantado a Hedda Hopper: «Creo que si esto acaba en divorcio, diré que el cómplice de la demandada es *Belinda*». La buena estrella de la Wyman iba elevándose cada vez más, mientras que la de él declinaba. Ella había ganado un Oscar; él no. La Wyman ganó el Premio de la Academia por su soberbia interpretación de una muda en *Belinda* (1949) de Jean Negulesco. Cierta vez la pareja se hallaba mirando la carta en un restaurante cuando el camarero se volvió hacia Reagan y le preguntó:

—¿Y qué va a tomar el *señor Wyman*?

La única interpretación sensible y convincente de Reagan en toda su carrera fue la del *disminuido físico* Drake McHugh en *King's row*, dirigida en 1942 por Sam Wood. Fue toda su vida su película favorita. No se cansaba de infligir la película una y otra vez a todos sus invitados a cenar. «No podía ni mirar ya aquella maldita película», exclamaría la Wyman más tarde. Durante los trámites del divorcio, se conformó con afirmar que Reagan se hallaba demasiado inmerso en la política.

Nuestra actual Primera Pareja se conoció de un modo muy carca y muy significativo en un contexto político. Reagan conoció a la joven, púdica y conservadora actriz Nancy Davis cuando la ayudó a limpiar su historial de toda sospecha 'de filiación comunista. El nombre de ella había aparecido en una lista de los cazadores de brujas. Reagan era por entonces presidente liberal del Sindicato de Actores de la Pantalla. La primera cita tuvo lugar cuando él la invitó a cenar y la informó de que se hallaba limpia de toda sospecha (la que figuraba en la lista de comunistas era otra Nancy Davis). Siguieron saliendo juntos. Al año siguiente Nancy alcanzó la cota más alta de su endeble carrera cinematográfica cuando, en el papel de ama de casa embarazada, oyó por radio la voz de Dios en *The next voice you hear*. El paso lógico siguiente consistió en casarse con Ronald Reagan. La boda tuvo lugar en 1952.

«A Ronnie empiezan a cargarle un poco esos papeles de buen chico que siempre le dan. Por una vez le gustaría hacer un papel de carácter.»
Ruth Roman en «Movieland», abril de 1950.

En los primeros años de su carrera Ronnie había sido un demócrata izquierdista; si luego se hizo republicano, y más tarde se reveló como el presidente más derechista del país desde McKinley, en

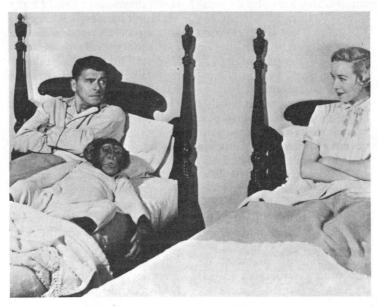

Extraños compañeros de lecho en Bedtime for Bonzo

Ronnie y Nancy, publicitando malas camisas y perlas falsas

buena medida hay que atribuirlo a Nancy.

Patricia Neal, que protagonizó con él tres películas de la Warner, opinó una vez: «Reagan era un hombre liberal cuando lo conocí. Y pienso que lo siguió siendo hasta que conoció a su actual mujer». Nancy consideraba a su padrastro, un cirujano de Chicago llamado Loyal Davis, como a su verdadero padre. Se dice que este caballero observaba una conducta «intolerante con las minorías». En 1980, mientras se encontraba en Chicago recolectando fondos para la campaña presidencial, Nancy habló con su marido a través del micrófono y, ante los oídos de una multitud de periodistas, manifestó cuánto le habría gustado que él estuviera allí para ver «tanta hermosa gente blanca reunida».

«El único estreno sobre el cual se me ocurre escribir este mes es el de *Bedtime for Bonzo*, en cierto modo empañado porque uno de sus protagonistas, un chimpancé, había muerto la víspera.»
Grace Fischler en «Motion Picture», junio de 1951

Después de su segundo matrimonio, la carrera de Reagan se vio confinada a un puñado de fiascos serie B. En 1954, iniciaría una segunda andadura en la televisión. «Recuerdo que Ronnie nos pedía a todos que no entráramos a la tele porque era la peor enemiga del cine», cuenta Ann Sheridan. «Pero antes de que pudiéramos percatarnos ya aparecía en los entreactos del "General Electric Theater" leyendo anuncios con sus lentes de contacto.» En 1961, Reagan habló en un acto en favor de la reelección del congresista John Rousselot, de la John Birch Society. En 1962, pasó del todo a las filas republicanas. Ese mismo año lo echaron del programa patrocinado por la General Electric porque los discursos que pronunciaba fuera de la pantalla eran demasiado de derechas incluso para el gusto de la compañía.

«Era un niño muy tonto. Todos lo llamaban el Pequeño Ronnie Reagan.»
Bette Davis

Poco después de ser elegido gobernador de California, no vaciló en cesar a dos de sus colaboradores de Sacramento al enterarse de que eran gays. Reagan considera la homosexualidad como «un trágico mal», que debería permanecer

No necesariamente los amigos del gobernador Reagan son amigos del presidente Reagan →

Vol. 14 — No. 23   DECEMBER 25, 1967   Standard   ★★★ 15¢

Gov. Reagan Says:

SOME OF MY BEST

FRIENDS ARE HOMOSEXUALS

(Titular) «Dice el gob. Reagan:
ALGUNOS DE MIS MEJORES AMIGOS SON HOMOSEXUALES»

fuera de la ley. «La Biblia nos dice», confió una vez al escritor Robert Scheer, «que a los ojos del Señor es abominable.» A los ojos de muchos californianos su carrera como gobernador lo fue aún más.

Al poco tiempo de asumir sus funciones de amo de la Casa Blanca, decidió quitar el retrato de Harry Truman, colocar en su lugar uno de Calvin Coolidge y, en cuanto se lo permitían los asuntos de Estado, invitar a sus amiguetes de la antigua pandilla de Hollywood a que se dejaran caer para probar la comida comprada que servía Nancy. Entre los pocos y marchitos elegidos estaban Charlton «Moisés» Heston, Jimmy Stewart, la entusiasta estirada anti-roja Ginger Rogers, Shirley Temple y Claudette «Cleopatra» Colbert, de quien se cuenta que fue una de las primeras en aconsejar a Reagan que invadiera Granada (pues no la ilusionaba en exceso la perspectiva de tener una isla llena de rojos tan cerca de su palaciega finca de Barbados). Cuando llama el presidente Ronnie, las viejas glorias del glamour acuden corriendo: el ex-demócrata Frank Sinatra, Audrey Hepburn o ese imperecedero pilar de la reacción llamado Bob Hope, el de la nariz en forma de esquí. (Cierta anciana y piadosa estrella desató una vez un pequeño alboroto; el tubo colónico de metal, que llevaba oculto en los pliegues del vestido, puso en marcha las alarmas de seguridad.) Lo que ocurre en estas reuniones se parece un poco al último volumen de *El tiempo recobrado* de Proust, en el cual todas las atractivas criaturas que había encontrado antes en sus gloriosos días de juventud vuelven a reunirse en una fiesta... pero transformadas por el tiempo en gárgolas irreconocibles.

«Reagan me preocupa muchísimo. Pienso que nos estamos precipitando hacia una catástrofe... Cada vez que escucho un discurso de él me dan ganas de vomitar.»

Henry Fonda, «Playboy», diciembre de 1981

Alexis Smith gozó del señalado honor de ser el único emisario de Tinseltown en una cena que, en octubre de 1982, se ofreció en la Casa Blanca para agasajar a Suharto, presidente de Indonesia. Alexis saboreó tanto la ternera a la *béarnaise* como el sorbete de pera, mientras compartía el pan con el jefe de

La Primera Dama se pone cariñosa →

Estado indonesio cuyo régimen se consolidó mediante el fusilamiento de unos quinientos mil seres humanos, cuyos Escuadrones de la Muerte han ejecutado sumariamente a otras cuatro mil personas en los últimos meses, y que practica el genocidio en el Timor Oriental.

«Nunca trabajé con Ronald Reagan. No me alegra que sea presidente. En algún momento tuve ganas de darle una oportunidad. Pero ahora está destruyendo todo aquello por lo que yo he vivido.»
Myrna Loy, en el programa televisivo «Legends of the Screen», 1982

El conciliador astro de *Swing your lady* y *The cowboy from Brooklyn* ha acabado con programas gubernamentales que beneficiaban a los pobres —desposeyendo así a miles de niños de baja condición social—, para que podamos costear más bombas nucleares, mientras las reducciones de impuestos corporativos se aseguran de que sus ricos seguidores sean cada vez más ricos. Su desprecio por las medidas ambientales han hecho que su administración sea la más «tóxica» de la historia de los Estados Unidos. (En una alocución radiofónica de 1979, Reagan llegó a afirmar que la polución atmosférica no proviene de las chimeneas o los escapes de los coches, sino de las plantas y los árboles.)

Ha hecho añicos la política de entendimiento cuidadosamente llevada por anteriores administraciones y ha vuelto a convertir al Tío Sam en el policía del planeta, utilizando la CIA para fomentar la guerra contra Nicaragua. Durante la invasión a Granada, instituyó un control de prensa sin precedentes en el país.

Ha insultado a un gran número de ciudadanos reiterando que el movimiento antinuclear está dirigido por el comunismo internacional. Sus «teorías demoníacas» sobre la Unión Soviética nos han colocado al borde de una conflagración con Rusia. A la luz de su angustiosa política armamentista, los títulos de muchas de sus películas adquieren un fulgor peculiarmente sombrío: *Accidents will happen*, *Código del hampa*, *Amarga victoria* y *Nine lives are not enough*. El Hollywood babilónico agoniza, está muerto, difunto, frío, aniquilado, *finito*, kaput, ¡kaputísimo! Y con Reagan al timón, lo que estamos viendo es el trailer de la última película: *Hollywood Armagedón.*

← *Mutua admiración*

Hollywood Armageddon, © *1984, Pat Oliphant* →

☆ FIN DEL SEGUNDO ROLLO ☆

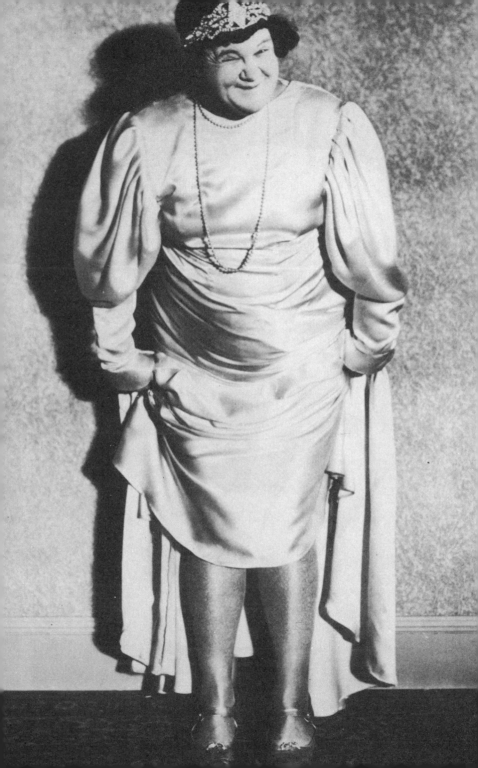

Indice onomástico

George O'Brien, antaño en las an...

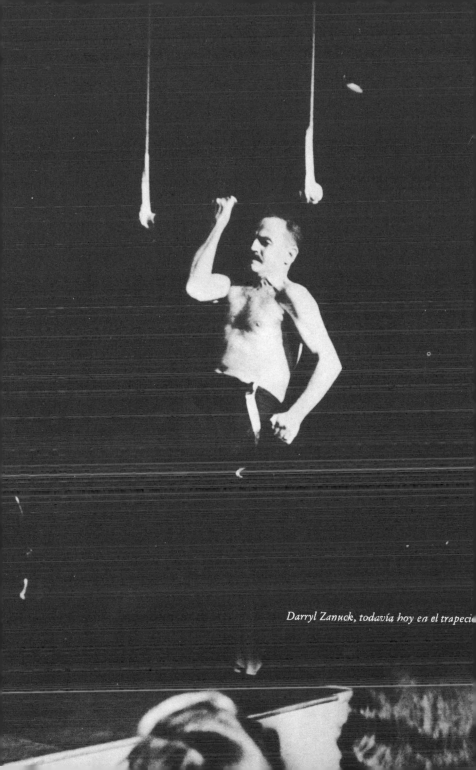

Darryl Zanuck, todavía hoy en el trapecio

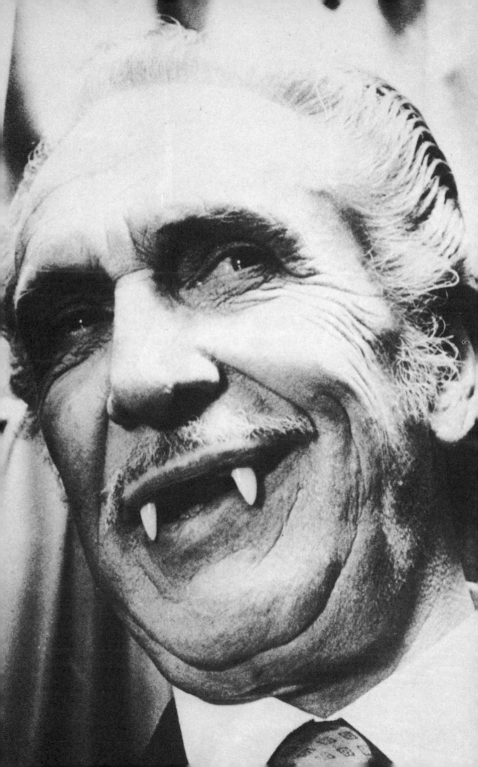

Origen de las fotografías

El autor desea agradecer a las siguientes personas e instituciones por la valiosa ayuda que le han presentado:

Elliot Stein; Samson De Brier; David Frasier y William Dellenback; Kinsey Institute for Research in Sex, Gender and Reproduction; Olivia y Joel Baren; Anton Szandor La Vey; Ken Galente, de Silver Screen; Carlos Clarens y Howard Mandelbaum, de la Phototeque; Marc Wanamaker, de los Bison Archives; Harriet Culver, de Culver Pictures; Roy Schatt; David Del Valle; Jeffrey Goodman, de «Oui»; Jay Padroff; Sandy Brown Wyeth; Path Oliphant; Karen Larsen, del UPI/Bettman Archive; Fred Cantey, de Wide World Photos; Spider Webb; Mary Corliss, de la Stills Collection, Museum of Modern Art Department of Film; Tom Luddy; Bob Chatterton; Walt Disney Productions; Bill Blackbeard, de la San Francisco Academy of Modern Art; Academy of Motion Picture Arts and Sciences Library; Lincoln Center Library for the Performing Arts; Bob Pike Photo Library; Cinema Shop.

Fotografías:

Ken Galente Collection: I, VIII, IX, XIV, XV, 26, 55, 90, 105, 107, 125, 166, 167, 170, 182, 183, 184, 185, 186, 188, 189, 190, 191, 193, 197, 201, 206, 207, 215, 218, 224, 228, 230, 231, 236, 238, 252, 255, 259, 277, 289, 292, 294, 305, 324, 325, 341, 342, 346, 364, 372, 376, 377; Phototeque: IV, V, 37, 80, 86, 88, 92, 110, 112, 123, 159, 161, 168, 196, 202, 203, 204, 205, 210, 212, 214, 215, 216, 217, 233, 243, 250, 256, 258, 262, 267, 270, 272, 274, 279, 281, 283, 285, 287, 291, 297, 301, 303, 307, 309, 311, 312, 313, 316, 328, 332, 333, 347, 370, 371, 382, 389, 392, 393, 412; Sandy Brown Wyeth: 35; Wide World Photos: 36, 38, 173, 178, 207, 318, 319, 320, 322, 323, 362, 363, 368, 369, 374; United Press International/Bettmann Archive: 40, 42, 45,47, 48, 49, 51, 53, 60, 70, 71, 73, 79, 109, 116, 117, 118, 122, 390,

397, 398, 399; Bison Archives: 56, 58, 60, 61, 63, 65, 66, 67: Culver Pictures: 94, 95, 102, 150, 152, 153, 154, 155, 156, 331; Elliot Stein Collection: 127, 395; Del Valle Archives: 135, 138, 139, 141, 142, 195, 201, 225, 265, 387, 414; San Francisco Academy of Comic Art: 138, 146, 248, 249; Kinsley Institute. *Oui*: 116, 117, 350; Page Wood: X, XI; Joel Baren: 156, 164, 165; Ron Galella; Roy Schatt; Jerome Zerbe: 360; Spider Webb: 360; Guy DeLort/WWD: 375; Pat Oliphant: 401; Loomis Dean. LIFE © 1954 Time Inc.: 413; el resto de las ilustraciones pertenecen a la Kenneth Anger Collection.

Copyright © Walt Disney Productions